T. U. Zwolle
-Die Legende der Zaub
Das Blutgericht der Za

T. U. Zwolle

# Das Blutgericht der Zauberjäger

Fantasyroman

Impressum
Bibliografische Information der Deutschen Nationalbibliothek:
Die Deutsche Nationalbibliothek verzeichnet diese Publika-
tion in der Deutschen Nationalbibliografie; detaillierte bibliografische Daten sind im Internet über http://dnb.dnb.de ab-
rufbar.
© 2020 T. U. Zwolle
Lektorat: Painlord
die.zauberjaeger@gmail.com
Herstellung und Verlag: BoD – Books on Demand, Norderstedt
ISBN: 9783751949712

Prolog

Der Körper schwebte schwerelos einen Fuß über den Boden. Nackt und glänzend. Die Halle war dunkel und heiß. Den Nekromanten, die wiegend im Kreis saßen, lief der Schweiß über den Rücken. Nass klebten ihre Kleider an ihnen.

Das Murmeln der Beschwörungsformeln erfüllte die Halle und wurde von den hohen Mauern als Echo zurückgeworfen. Der Vorgang forderte den Nekromanten alles ab. Die Beschwörungsformeln dienten dazu, die Konzentration der Männer aufrecht zu halten. Die Kräfte der Männer bündelten sich und tasteten das Tor zum Seelenreich ab um es zu öffnen und der richtigen Seele den Weg zu ebnen.

Kiridul führte die Gruppe der Nekromanten an. Wie ein Mann, der im Dunkeln blind nach einem heruntergefallenen Gegenstand tastete, streckte er die gebündelte der Kraft der Magier dem Tor entgegen, was sich vor ihm auftürmte, und suchte nach dem Durchgang, was sie zu ihrem Ziel führen würde. Er hörte das Flüstern der Seelen, welche sich, von der Macht angelockt, versammelten und darauf hofften befreit zu werden. Aber sie hatten hier nur einen Körper und wollten nur eine bestimmte Seele befreien.

Zwar konnte ihr Herr durch das Artefakt mit den Nekromanten in Kontakt treten, aber seine Seele war im Reich der Toten. Das Artefakt diente als Anker, was einen Teil seiner Seele in der Welt der Lebenden hielt. Jetzt waren sie endlich soweit, ihren Herrn und Meister wieder in die Welt der Lebenden zurückzuholen. Der Körper war sorgfältig von ihnen ausgewählt worden. Ein junger, gesunder Körper. Muskulös und kräftig. Die Seele des Mannes war ohne Schwierigkeiten vom Körper getrennt worden. Jetzt war der Körper bereit, ihren Meister aufzunehmen und ihm ein neues Angesicht in dieser Welt zu geben.

Kiriduls Geist tastete vorsichtig die Pforte zum Seelenreich entlang und drückten sie auf.

Sofort umhüllte ihn ein Flüstern und Wispern.

„Ein Sterblicher."

„Was will er hier?"

„Niemand darf unser Reich betreten, entferne dich."

Kiridul ignorierte die Seelen, die um ihn herum schwebten und betrachteten.

„Sterblicher, lass uns ruhen. Kein Lebender darf in unser Reich eindringen."

Zustimmendes Geflüster erklang um ihn herum, aber Kiridul ließ sich nicht von den Worten einschüchtern.

„Herr, Wo bist du?"

„Ich bin hier, Kiridul", bekam er als Antwort.

Zischend fuhren die Seelen auseinander und machten einer dunklen Gestalt Platz. Sattes schwarz näherte sich ihm und er spürte, welche Macht von seinem Herrn ausging.

„Ich bin hier, um dich zu holen, mein Herr."

„Dann befreie mich, Schüler."

Kiridul streckte seine Macht der großen Seele entgegen und verband die Kräfte. Schwer zog die Seele seines Herrn an seiner Macht und drohte ihn tiefer in das Seelenreich zu ziehen. Alleine hätte er der Macht nicht entgegenzusetzen gehabt und er wäre unweigerlich verloren gewesen. Nur die Kraft seiner Nekromantenbrüder hielt ihn auf der Schwelle zur Welt der Lebenden fest.

„Gut so", lobte sein Meister, „Und jetzt konzentriere die Kraft und zieh mich hier heraus."

Wäre er im Moment nicht körperlos gewesen, hätte er vor Anstrengung aufgestöhnt.

„Der Sterbliche begeht einen Frevel", empörte sich eine Seele, während Kiridul seinen Herrn aus dem Reich der Toten befreite und das Tor wieder sorgfältig verschloss.

In der heißen Halle fuhr die Seele des Todesfürsten in den vorbereiteten Körper und beseelte ihn; drang in jede Faser. Ein Zittern durchlief den Körper und die sterbliche Hülle senkte sich auf den Boden hinab.

Das raumfüllende Wispern ließ nach und wich einer gespannten Ruhe. Nervös knieten die Nekromanten um den Körper und warteten, ob ihr Werk von Erfolg gekrönt war.

Für einen Augenblick sah es so aus, als ob sich nichts rührte. Dann aber stöhnte der Körper des jungen Mannes auf und ein Zucken durchlief die Glieder.

Kiridul erlaubte sich ein triumphierendes Lächeln.

Der Körper setzte sich auf und schlug die Augen auf. Schwarz waren die Augen, aber sie waren nicht blind. Gezielt fixierten sie Kiridul. „Du hast eine gute Wahl getroffen, mein Schüler."

Der Todesfürst betastete seinen neuen Körper und nickte anerkennend. „Wirklich sehr gutes Material." Die Worte kamen ihm noch leicht verwaschen über die Lippen, aber sie waren verständlich und wurden mit jedem Wort klarer. Unsicher und wackelig stand der Todesfürst auf. Die jungen Muskeln trugen ihn ohne Probleme und er spürte, wie er zunehmend die Kontrolle über seinen neuen Körper gewann.

Erwartungsvoll sahen die Nekromanten ihn an und warteten ab, was passieren würde. Nackt stand ihr Herr vor ihnen und schaute in die Runde. „Das war eine Meisterleistung von euch. Ihr habt meine Lehren gut umgesetzt."

Dankbar für die lobenden Worte senkten die Magier die Köpfe.

„Besonders du, Kiridul. Du bis mein Meisterschüler." Der Todesfürst legte ihm die Hand auf den Kopf und streichelte dem Magier über das graue Haar.

Tränen der Rührung standen in Kiriduls Augen. Sein Meister war wieder unter ihnen. Er war aus dem Reich der Seelen zurückgekehrt.

## Krok

„Ich kann es nicht glauben, dass wir uns haben breitschlagen lassen." Krok saß auf seinem Pferd und meckerte seit Sonnenaufgang ununterbrochen vor sich hin.

„Sei nicht so missgestimmt. Genieß lieber die Frühlingsluft und meine Anwesenheit." Züleyha beugte sich aus ihrem Sattel und küsste ihn auf die Wange. „Du siehst es wieder mal zu negativ. Wir überbringen die Nachricht, Übernachten und stärken uns und reiten wieder zurück."

„Alles ganz einfach, was?" Krok spuckte von dem Kautabak aus, den er im Schloss Norderstedts aufgetrieben und zu seinen Vorräten genommen hatte. „Du vergisst, dieser Adelige ist verschlagen wie eine Natter." Seine gesunde Hand hielt die Zügel, sein Eisenarm lag an seinem Körper, der Unterarm vor seinem Bauch. Mittlerweile hatte er sich an Arm gewöhnt. „Und dieser rothaarigen Botschafterin traue ich auch nicht über den Weg", setzte er nach.

Züleyha lachte auf. Sie war guter Stimmung. Die zu Krok entbrannte Liebe beflügelte sie und ließ sie wieder das Leben spüren. Sie hatte geglaubt, dass in ihrem Inneren etwas abgestorben war, aber er hatte es wieder zum Leben erweckt. „Du traust niemandem über den Weg, mein Liebster."

„Das sagt mir die ruchlose Attentäterin, die wie ein schwarzer Panther in der Welt herumstreicht, immer auf der Suche nach ihrer Beute."

„Du hast mich verändert. Ich will nicht nur existieren, sondern das Leben genießen."

Wärme und Verlangen stiegen in ihm auf. „Was hältst du davon, wenn wir anhalten und eine etwas verlängerte Rast einlegen?"

Mit gespielt nachdenklicher Miene schielte sie zu ihm. „Bis zum Mittag könnten wir noch ein paar Meilen schaffen."

„Denk dran, ich bin nicht vollständig genesen. Ich brauche Ruhe und Liebe."

„Ich glaube, was du vorhast, hat nicht viel mit Ruhe zu tun."

„Stimmt. Aber mit Liebe."

Am Nachmittag lösten sie sich voneinander. Sie hatten die Mittagszeit erst damit verbracht ihre körperlichen Gelüste zu stillen und später einen Hasen gebraten, den sie am Vormittag erlegt hatten.

„Ich hoffe, man lässt uns in Ruhe, wenn wir die Nachricht überbracht haben", sagte Krok kauend und biss in die Hasenkeule.

„Du hast doch gehört, was die Botschafterin gesagt hat. Wir sollen nur den Brief und die Nachricht der Königin übergeben und können danach Zara abholen und unserer Wege ziehen."

Sie wussten beide nicht, was in dem Brief stand. Er war von Atriba Feuersturm gesiegelt worden. Sie waren lediglich die Boten.

„Hoffen wir das Beste. Ich will auch hoffen, wir finden diese geheimnisvolle Legion, von der sich die Königin so viel verspricht."

„Bislang waren die Informationen, die Norderstedt besaß, zuverlässig."

„Bis auf die Tatsache, dass ein Haufen irrer Magier in der Nekropole auf uns wartete und wir nur mit viel Glück wieder rausgekommen sind, mag das stimmen", entgegnete Krok. Er riss den Rest Fleisch von der Hasenkeule ab. „Wir sollten aufbrechen, wenn wir noch ein Stück bis zum Sonnenuntergang schaffen wollen."

Sie löschten das Feuer und achteten drauf, ihre Spuren möglichst gewissenhaft zu verwischen. Jemand, der ihnen gezielt folgen würde, wäre in der Lage, zu sehen, dass sie hier gerastet hatten, aber ein zufällig vorbeikommender Reisender würde es nicht auffallen. Bis zum Sonnenuntergang schafften sie noch ein gutes Stück und sahen kurz nach Sonnenuntergang die Lichter eines Gasthauses vor sich.

„Kehren wir dort ein und schlafen in einem weichen Bett", entschied Krok.

Züleyha widersprach ihm nicht. Auch sie hatte keine große Lust wieder auf dem kalten harten Boden zu schlafen. Zwar waren die Tage einigermaßen warm, aber die Nächte wurden noch empfindlich kalt. Ein Essen, ein warmer Kamin und ein schönes weiches Bett erschienen ihr sehr verlockend. Den Brief konnten sie in der Satteltasche verstauen, die sie immer bei sich führten.

Bevor sie in die Stube des Gasthauses gingen, warf Krok einen kurzen Blick in den Stall, in dem er nur zwei Reitpferde entdeckte. So konnte er sicher sein, nicht auf eine größere Gruppe in der Unterkunft zu treffen.

Sie banden die Pferde an und nahmen ihr leichtes Gepäck mit hinein.

Drinnen empfing sie ein gemütliches Halbdunkel. Bis auf einen Tisch, an dem ein runtergekommener Saufbruder einsam einen Krug Wein leerte.

„Guten Tag", rief Züleyha in den leeren Raum, bekam aber außer einem tiefen Rülpsen des Saufbruders keine Antwort.

„Scheint ja ein Lokal zu sein, in dem das Leben tobt", grummelte Krok.

„Komme gleich", kam eine verspätete Antwort aus der Küche.

Züleyha deutete auf einen der leeren Tische. „Komm, wir setzen uns derzeit. Ich glaube wir müssen noch etwas warten, bis wir etwas bekommen."

„Wirt", rief der Saufbruder mit schwerer Zunge, „Ich will noch einen Krug Wein."

Krok zog einen Stuhl zurück und legte ihr Gepäck neben sich auf den Boden. „Was für eine trostlose Bude."

„Na na, das will ich aber überhört haben." Der Wirt hatte sich ihnen genähert. „Was darf es denn sein?"

„Zwei große Biere und was zum Essen", antwortet Krok.

„Meine Frau hat ein Wildragout im Topf und Kartoffeln."

„Hey Wirt. Ich will auch noch etwas zu trinken." Der Saufbruder richtete sich halb auf, fiel aber trunken wieder auf seinen Platz zurück.

„Du hast schon zwei Krüge auf Kredit getrunken, mehr gibt es nicht", fuhr der Wirt ihn an.

„Wirt, gib dem Mann noch einen Krug auf unsere Kosten." Krok zwinkerte dem Betrunkenen zu.

„Wie du meinst, Herr. Ich richte alles für euch her."

Als sich der Wirt wieder entfernte, stand Krok von seinem Tisch auf und ging zu dem Saufbruder.

„Lass dir den Wein schmecken, mein Freund."

„Bedankt." Der Saufbruder tippte sich an die Stirn.

„Was gibt es hier in der Gegend zu berichten? Räuberbanden oder so etwas? Kann man mit einer hilflosen Frau hier in der Gegend reisen?"

Mit trübem Blick fixierte er an Krok vorbei Züleyha. „Hilflos?" Er schaute auf ihre Wurfmesser und grinste.

Krok stellte einen Fuß auf den Stuhl und lehnte sich auf sein Bein. „Also? Was ist hier in der Gegend los?"

Traurig schaute der Mann zu ihm hinauf. „Jetzt herrscht hier erst einmal Ruhe, Herr. Anderthalb Tagesreisen von hier gab es eine große Schlacht. Die letzte Legion des Reiches hat sich einer fremden Armee in den Weg gestellt. Den Gerüchten zufolge bestand die Armee aus Untoten."

Krok überlief ein kalter Schauer, ließ sich aber nichts anmerken.

„Eine wahrhaft große Schlacht muss das gewesen sein. Vor ein paar Tagen kam eine kleine Gruppe Legionäre hier durch. Sie waren auf Patrouille. Ihre Centurios haben sie gegen eine Übermacht geführt und sie haben die Untoten niedergemacht bis auf den letzten...Mann." Er kicherte in sich hinein und rülpste leise. „Mutig müssen sie gekämpft haben. Große Verluste haben sie erlitten und waren am Rande einer Niederlage. Aber dann hat ein mächtiger Zauberer in die Schlacht eingegriffen und die Armee mit Blitzen und Feuer vernichtet. Er hat direkt in den Himmel gegriffen, um die Blitze aus dem Himmel zu holen. Ich wäre gerne dabei gewesen und hätte zugesehen."

Krok runzelte die Stirn. Die Untoten hatte er ja selbst gesehen, aber ein Magier, der Blitze vom Himmel holte? Für ihn klang das reichlich unwahrscheinlich, das Hirngespinst eines Betrunkenen.

„Lass dir den Wein schmecken. Und wenn du danach noch Durst hast, spendiere ich dir noch einen Zweiten."

„Danke, Herr."

Er ging zu Züleyha zurück und setzte sich. „Wir sind auf dem richtigen Weg."

Sie nickte und schaute zu dem Wirt, der zwei dampfende Teller mit Wildragout und zwei Krüge mit Bier balancierte.

„Lass uns etwas essen und dann ins Bett gehen, ich bin müde." Züleyha gähnte und freute sich auf das Abendessen.

„Sehr gerne." Krok grinste sie anzüglich an und begann zu essen.

Gadah

Das Gefühl nach einer Schlacht war wie ein Kater nach zu viel Alkohol. Der Kopf war schwer, die Muskeln müde und man war froh, den Rausch überstanden zu haben. Gadah ging müde und noch von der Schlacht gezeichnet über den Exerzierplatz.

Der Sieg hatte sie viel gekostet. Viele Männer waren gestorben, Erkilor, Mikos, Legionäre, deren Namen Gadah nicht kannte. Holderar hatte ihn gewarnt, dass sich diejenigen, die von den Untoten gebissen worden waren in ebensolche Geschöpfe verwandeln würden. Die ersten Verwundeten, die dem Fluch der Untoten zum Opfer fielen, wurden von ihren Kameraden unbarmherzig getötet. Als die anderen verwundeten Legionäre sahen, wie sich ihre Kameraden in Untote verwandelten, flehten sie ihre Kameraden an, sie auch zu töten. Der Tod sei barmherziger, als zu einem wandelnden Toten zu werden.

Insgesamt standen noch fünfhundert Männer unter Gadahs Kommando. Diejenigen, die nur Schwertwunden davongetragen hatten, würden überleben und den Dienst wieder aufnehmen können. Fünfhundert von einer Legion, die mit über zweitausend Mann in den Kampf gegen ein Heer gezogen war, was unbesiegbar schien. Sie hatten bestanden und den Feind geschlagen.

Gadah war stolz auf seine Legionäre, aber ihm war auch klar, dass sie verloren hätten, wenn Thom dem Feind mit seinen Kräften nicht in den Rücken gefallen wäre. Die Feuerwalze, die er über das feindliche Heer gesandt hatte, war ein wahres Inferno gewesen. Von Holderar wusste er auch, wie sie die Nekromanten niedergemacht hatten, die die Untoten kontrollierten. Ohne Holderar, Mikos und vor allem Thom wären sie überrannt worden.

Jeder der überlebenden Soldaten trug inzwischen ein Amulett nach Gadahs Vorbild. Es würde sie vor magischen Angriffen schützen. Gestern bei seiner Ansprache hatte er den Legionären erklärt, sie seien die wahren Nachfolger der legendären Zauberjägereinheit. In den bevorstehenden Kämpfen würden sie ihre eigene Legende schreiben können.

Die müden Männer hatten die Ansprache jubelnd aufgenommen und ihn mit lauten Rufen gefeiert. Den überlebenden Offizieren, Hunerik, Luzil, Nimius und Oliera unterstand nun jeweils eine Centurie von einhundertfünfundzwanzig Mann. Die Legionäre, die sich besonders verdient gemacht hatten in der vergangenen Schlacht, würden in den nächsten Tagen ihr Beförderungen zum Optio erhalten.

Gadah fasste sich an den Rücken und rieb eine schmerzende Stelle. Früher konnte sein Körper die Strapazen einer Schlacht besser wegstecken, aber das Alter klopfte leise an seine Türe und Gadah war sich dessen bewusst. Seine gut fünfzig Jahre mahnten ihn dazu, sich seine Kräfte einzuteilen. Auch Milana, mit der er das Bett teilte, rieb ihm sein Alter unter die Nase. Er wusste, dass sie recht hatte, aber es gab noch viel zu tun. Am Abend stand eine Besprechung mit seinen Offizieren an, in der sie über das zukünftige Vorgehen beraten wollten. Er kam zum Krankenrevier und atmete tief durch. Von drinnen klang eine schief gesungene Melodie und er wusste sofort, welcher unbegabte Sänger seine Kunst zum besten gab.

„Holderar, glaubst du, es ist für die Genesung der Kranken förderlich, wenn du ihnen was vorsingst?", fragte Gadah beim Hereingehen.

„Zumindest ist an meinem Gesang keiner gestorben", lallte der Zwerg mit einer halb vollen Flasche in der Hand. Seine Axt stand an die Wand gelehnt.

„Oh ihr Götter, Herr, hol diesen Zwerg hier raus, uns bluten die Ohren von seinem Gesang", rief eine Stimme aus dem großen Saal.

„Ja, und meine Nase riecht den Schnaps, den er säuft, ich bin schon ganz duselig im Kopf", rief ein anderer Legionär.

Allgemeines Lachen erfüllte den Raum und Gadah genoss die gelöste Stimmung.

Holderar stimmte die nächste Strophe seines Liedes an, in dem es um haarige Hurenärsche und treulose Ehemänner ging. Nach und nach stimmten die Legionäre auf den Krankenlagern mit ein und sie sangen den Refrain im Chor.

Gadah konnte sich ein Grinsen nicht verkneifen und ließ die Männer gewähren. Still stahl er sich in einen Nebenraum, der mit einem Vorhang abgetrennt war.

Isela saß an Thoms Bett, der schneeweiß und schwitzend unter einer Decke lag, die ihm bis unters Kinn reichte. Ihr Gesichtsausdruck drückte Sorge aus und in ihren Augen las Gadah, dass sie sich nicht nur aus Dankbarkeit um Thom kümmerte.

„Wie geht es ihm?", wollte er wissen.

„Unverändert. Er isst und trinkt, atmet, aber er wacht nicht auf. Er reagiert auch nicht auf Stimmen. Holderar hat ihm sogar ein Lied vorgesungen, aber nichts holt ihn aus diesem Zustand."

Traurig schaute Gadah auf seinen ehemaligen Schützling und schürzte die Lippen. Seine Heilkunst war hier machtlos. Er hatte Thom untersucht, aber keine körperlichen Wunden feststellen konnten. Sein Zustand musste also von der Magie her rühren, die Thom angewandt hatte.

„Wir können nur hoffen, dass sich sein Körper selbst regenerieren kann."

„Nur die eine Hoffnung zu haben, ist eine schwache Aussicht", sagte Isela, die Thom mit einem feuchten Lappen die verschwitzte Stirn abwischte.

„Es ist besser als nichts, Isela.." Gadah setzte sich auf einen Stuhl neben das Bett und biss die Zähne zusammen.

„Du hast auch Schmerzen", stellte Isela fest, die seinen Gesichtsausdruck sah.

Er winkte ab. „Mein Körper braucht nur etwas länger, um sich von der Schlacht zu erholen, das ist alles. Ich bin ja keine zwanzig mehr."

„Aber du kannst es mit jedem Zwanzigjährigen aufnehmen", sagte Hunerik.

Gadah lächelte. Sein letzter verbliebener Freund aus früheren Tagen. „Er übertreibt", winkte er ab.

„Das glaube ich nicht. Die Männer erzählen sich von ihrem Kommandanten, der mit ihnen im Schildwall stand, und wie der Tod persönlich unter seinen Feinden gewütet hat. Sie sind sich sicher, dass sie es nicht ohne dich geschafft hätten."

Gadah ließ das so stehen. Er wusste um die Bedeutung der Legenden, die sich bei Männern am Lagerfeuer bildeten. Oftmals waren sie wichtiger als die wahren Taten eines Mannes.

„Darf ich dich etwas fragen?", schüchtern setzte sich Isela auf Thoms Bettrand.

„Natürlich, Isela. Was möchtest du wissen?", antwortete Gadah.

„Welche Geschichte steckt hinter Thom? Er ist anders als andere Menschen. Grausam, brutal, unerbittlich, gleichermaßen einfühlsam, zärtlich und gerecht."

Er schwieg einen Moment und dachte nach. Er wusste um seinen Anteil an Thoms Entwicklung, wusste aber auch, wie sehr die Umstände und Zeiten ihn geformt hatten. „Es ist keine einfache Geschichte und schon gar keine schöne", sagte er schließlich.

„Das ist meine auch nicht. Ich möchte sie gerne erfahren."

„Na schön, wir haben ja Zeit. Dann pass auf. Alles fing mit einem Überfall an."

## Thom

Er fiel und fiel und fiel. Fiel einem weißen Licht entgegen, was unendlich weit weg schien, ihn aber unermüdlich zu sich zerrte. Innerlich fühlte sich Thom frei und losgelöst von allen Sorgen und negativen Gefühlen. Sein Geist war befreit von den weltlichen Dingen. Er wusste, dass er seinen Körper, seine sterbliche Hülle, hinter sich gelassen hatte und nun auf dem Weg in eine bessere Welt war. Eine Welt ohne Schmerz und Kampf. Nur die ewige Ruhe würde ihn erwarten.

Gleißend hell leuchtete das Licht vor Thom auf und er fühlte, wie sich eine warme Hülle um ihn legte. Er ließ es geschehen und genoss die Ruhe.

Befreit von seinem Körper schwebte er wie schwerelos durch das weiße Licht, bis er schließlich einem dunklen Fleck entgegen schwebte. Er näherte sich dem Boden einer unbekannten Welt.

„Hab keine Angst", sprach Meradon von irgendwoher.

„Wo bin ich denn?", fragte Thom.

„Du bist auf dem Weg ins Reich der Toten. Ins Seelenreich."

„Ich bin tot?"

„Nicht so ganz. Dein Körper ringt noch mit der Magie, die du entfesselt hast. Vielleicht stirbst du, vielleicht bleibst du auch am Leben. Du wirst es merken."

„Wie denn?"

„Entweder wird dein Körper deine Seele zurückrufen oder deine Seele wird hierbleiben. Tief in deinem Inneren musst du noch eine Verbindung spüren, die dich mit deiner sterblichen Hülle verbindet."

„Im Moment spüre ich gar nichts."

„Das kommt noch. Du wirst dich an diesen Zustand gewöhnen."

„Wenn ich hierbleibe."

„Wenn du hierbleibst." Meradons Gestalt materialisierte sich neben Thom und gemeinsam schwebten sie zu Boden.

Thom hörte vereinzelte Stimmen und landete sanft auf dem Boden. Immer noch fühlte er sich frei und unbeschwert. Ein Kribbeln durchlief ihn und er fühlte, wie sich ein Körper um seine Seele legte.

Die Leichtigkeit nahm ab und Thom roch das würzige Gras vor seiner Nase. Er lag auf dem Boden und fühlte eine Wärme auf seiner Haut, die ihm sehr angenehm erschien.

„Versuch aufzustehen", sagte Meradon.

Müde stemmte sich Thom hoch und war überrascht, wie gut ihm seine Arme und Beine gehorchten. Mühelos stand er auf und schaute sich um. Meradon stand vor ihm. Ein weißer Talar kleidete seinen Körper und auch Thoms Körper war in einem Talar derselben Farbe gekleidet. Er breitete die Arme aus und begutachtete sein neues Gewand.

„Ungemein kleidsam wie ich finde." Meradon kicherte albern. „Du kannst dir natürlich auch etwas anderes wünschen. Es gibt hier weniger Grenzen als im Land der Lebenden."

„Am liebsten wäre mir mein schwarzes Kettenhemd und Mindokar", sagte Thom.

„Um wen zu töten? Mit Klingen und körperlicher Gewalt kannst du hier niemandem einen Schaden zufügen. Hier befinden sich die Seelen der Verstorbenen und denen, die zwischen Leben und Tod stehen. Du wirst hier keinen Hunger und Durst verspüren, aber so viel essen und trinken können, wie du willst. Es ist von allem reichlich vorhanden. Wenn du willst, kannst du dich im Wettkampf mit anderen Seelen messen, um die Zeit zu vertreiben und bis du weißt, ob du wieder in die Oberwelt darfst."

„Ich will mir nicht die Zeit vertreiben, ich will wieder zu meinen Freunden und mit ihnen zu kämpfen, sie benötigen meine Unterstützung."

„Das zu entscheiden liegt nicht in meiner Macht, mein Sohn. Ich kann dir hier alles zeigen aber entscheiden, wer lebt oder stirbt, diese Macht hat nur einer."

„Wer ist das?", schnappte Thom.

„Khulat."

„Der Gott des Seelenreichs? Es gibt ihn wirklich?"

Laut lachte Meradon auf. „Was glaubst du eigentlich, wo du bist? Du befindest dich in seinem Reich und du wirst hierbleiben, als einer seiner Untertanen. Du kannst hier hemmungslos leben, lieben, fressen, saufen vögeln. Keiner wird dir Vorhaltungen machen, niemand wird dich maßregeln. Genieße es, deinen Körper verlassen zu haben, genieße es einfach und befreie dich von deinen Sorgen."

„Ich will mit Khulat reden. Ich muss wieder hier weg."

Abermals lachte Meradon auf. „Was glaubst du, wer du bist? Während unseres Gespräches fahren unendlich viele andere Seelen hier ein und mindestens die Hälfte verlangt Khulat zu sprechen, weil sie nicht einsehen zu sterben. Und weißt du, wie viele es geschafft haben, Khulat davon zu überzeugen, dass sie wieder an die Oberwelt müssen?" Meradon macht eine Pause, um seinen folgenden Worten mehr Nachdruck zu verleihen. „Keiner."

Thom senkte den Kopf und biss die Zähne aufeinander. Wut und Hilflosigkeit bemächtigten sich seiner, wurden aber direkt durch die Macht des Seelenreiches gedämpft.

„Ich mache dir einen Vorschlag. Hier unten vergeht die Zeit anders als an der Oberwelt. Wir haben also genug Zeit, ohne dass du oben etwas verpasst. Vielleicht willst du gar nicht mehr weg."

„Das glaube ich nicht, aber ich füge mich."

„Dann komm und folge mir. Es gibt einiges zu sehen für dich."

Sie ließen eine weite Ebene hinter sich, die in Thom eine Ruhe auslöste, die er schon in dem hellen Licht verspürt hatte. Ein Wäldchen mit saftig begrünten Bäumen beschattete eine Gruppe von grölenden Männern, die ein Festgelage abhielten. Meradon und er näherten sich den Männern und wurden sofort eingeladen, sich zu ihnen zu gesellen.

„Ho, heißen wir unsere Gäste willkommen an unserem Festmahl teilzunehmen", rief der Wortführer der Gruppe, dessen Namen Thom vor laute Lärm und Gesang nicht verstanden hatte. Sie saßen an der Tafel der Männer und lauschten den Geschichten und Prahlereien der toten Krieger aus vergangenen Zeiten. Dabei schlemmten sie die köstlichsten Speisen und die erlesensten Weine. Wenn sie einen Teller und einen Weinkelch geleert hatten, erschienen umgehend neue Speisen, ohne dass jemand nachgelegt oder nachgeschenkt hätte. Thom hielt mit den anderen Männern mit und leerte einen Weinkelch nach dem anderen. Die Wirkung des Weins wurde durch das Seelenreich gedämpft und so stellte sich nur eine leichte Trunkenheit ein, die sich angenehm in ihm aus-breitete. Das Fleisch war zart und saftig und in Verbindung mit dem Wein stellte sich bald eine Fröhlichkeit ein, die Thom schon lange nicht mehr verspüren durfte. Er sang die Lieder der Männer mit und es dauerte nicht lange, bis er sich in der Runde wohlfühlte. Er hätte ewig hier sitzen und feiern können.

Tief in seinem Inneren rührte sich etwas und er erinnerte sich daran, wie er vorhin mit Meradon gestritten hatte und amüsierte sich über sich selbst.

Irgendwann zog er sich müde mit Meradon zurück und sie schliefen unter einem Baum ein.

Sanft wurde er von seinem Vater geweckt, indem er ihn an der Schulter fasste. Ausgeruht und erfrischt schlug er die Augen auf und schaute in einen klaren blauen Himmel, der zwischen dem grünen Blätterdach des Baumes hindurch schimmerte.

„Gut geschlafen, mein Sohn?"

Thom gähnte und kratzte sich über den Kopf. „Wunderbar." Angenehm überrascht stellte er fest, dass er trotz der Zecherei keinen Kater hatte und sich sein Kopf leer anfühlte.

„Ja, hier kann man hemmungslos saufen, ohne es am nächsten Tag zu bereuen. Bist du bereit für den nächsten Tag?"

„Was steht denn heute an? Wieder saufen?"

„Diesmal nicht. Heute werden wir jemanden besuchen."

„Wen denn?"

„Lass dich überraschen und genieße." Meradon breitete die Arme aus und klatschte. Licht blitzte auf und sie befanden sich für ein paar Atemzüge wieder in dem weißen Licht, bevor sie auf eine Wiese gespuckt wurden.

Thom kam das alles hier bekannt vor. Die Felder, die Stallungen. „Meradon, das ist doch nicht...", flüsterte Thom.

„Doch Thom, das ist dein Zuhause."

Sie gingen um die Stallungen herum und Thom hörte schon das helle Lachen seiner Mutter, was er als Kind immer so geliebt hatte. Der Eingang mit der kleinen Veranda kam in Sicht und die Haustür öffnete sich. Der dunkle Schopf seines Bruders Mifal tauchte im Rahmen auf. Sein Bruder winkte ihnen zu und drehte sich ins Haus. „Mutter, Vater, Thom ist da."

Seine Mutter stürmte aus dem Haus und ihm entgegen. Heftig schloss sie ihn in seine Arme und drückte ihn an sich. „Mein Thom, wir haben auf dich gewartet."

Thom wusste nicht, was er sagen sollte und schloss seine Mutter einfach in die Arme. Tränen liefen ihm übers Gesicht und er roch ihren typischen Geruch.

Sein Vater kam auch heran. „Na, Mutter, lass den Jungen doch zu Atem kommen." Aber auch ihm lief eine Träne übers Gesicht. Er umfasste Thoms Genick und zog ihn an sich heran. Sein Sohn überragte ihn um einen vollen Kopf und schloss auch seinen Vater in die Arme. Er war wieder zu Hause. Was für ein wunderbares Gefühl.

In der Küche saßen sie alle an dem großen Tisch.

Seine Mutter legte die Gedecke auf und weinte immer noch vor Freude, während sie in ihren Töpfen rührte und das Essen zubereitete.

„Meradon hat uns vorgewarnt, dass er dich hierher bringen würde", sagte sein Vater zwischen zwei Zügen aus seiner Pfeife und blies Rauchringe zur Decke.

Mifal grinste Thom in seiner ihm eigenen unbefangenen Art an und freute sich über das Wiedersehen mit seinem Bruder.

Thom zählte die Gedecke auf dem Tisch und rätselte. Sechs Gedecke richtete seine Mutter her aber sie waren nur zu fünft. „Erwartest du noch Besuch?", fragte er sie.

„Nein, keinen Besuch, aber wir haben jemanden bei uns aufgenommen. Komm rein, meine Liebe", rief seine Mutter und Thom drehte sich um.

Fast hätte ihn der Schlag getroffen. Im Türrahmen zur Küche erschien Lydia! Thom blieb die Luft weg und er spürte, wie seine Unterlippe zu zittern begann. „Lydia", flüsterte er atemlos und stand auf. Sein Stuhl fiel um, aber das störte ihn nicht. Mit zittrigen Knien ging er auf sie zu und blieb vor ihr stehen. Ihre roten Haare fielen in wunderbaren Locken auf ihre Schultern und ihre grünen Augen strahlten ihn an wie feurige Saphire.

Sein Blick verschleierte sich vor Tränen und er beugte sich hinab und küsste sie innig. Er schloss die Augen und gab sich ganz den zärtlichen Gefühlen hin, die er für diese Frau hegte.

Als sie sich schließlich voneinander lösten, hielt er ihren Kopf in den Händen und streichelte mit seinen Daumen über ihre Wangen. Ihre Haut fühlte sich zart und weich an.

„Danke, Meradon", flüsterte er mit brüchiger Stimme, „Ich danke dir."

Atriba

Viele Jahre bevor Atriba Feuersturm erste Botschafterin wurde, war sie mit der heutigen Königin auf der Magieschule des ehrwürdigen Erzmagiers. Es war Tradition die Kinder im Alter von sieben Jahre in die Schule zu geben, um ihr natürliches magisches Talent zu fördern.

Atriba erinnerte sich noch an die Blicke der älteren Schüler, wie sie die Neuen von oben bis unten taxierten und tuschelten. In den Kammern erhielten die neuen Schülerinnen ihre weißen

Gewänder mit einem dunkelbraunen Gürtel. So sahen alle Novizinnen gleich aus. Stände, Geld und Herkunft mussten sie so hinter sich lassen. Für die Novizinnen zählte somit nur noch das, was sie in ihrer Ausbildung auf der Schule lernten und welche Verdienste sie hier erwarben. Zu Beginn waren alle gleich. Weiß und unschuldig.

Atriba und die Prinzessin teilten sich eine Kammer mit einer dritten Mitschülerin, die sich bereits im zweiten Jahr befand. Ihre Mitbewohnerin hieß Larah und war die Tochter eines wohlhabenden Kaufmannes, der das Schulgeld für zehn Jahre im Voraus entrichtet hatte.

Larah war ein Mädchen mit einer zu langen Nase und zu eng aneinander stehenden Augen. Sie war wahrlich keine Schönheit, aber auf Anhieb verstanden sich die drei Mädchen.

In der ersten Nacht erzählte Larah ihnen die Gepflogenheiten in dem Schloss, was als Unterkunft für die Magieschule diente. Große, dicke Mauern umgaben die Schülerinnen und schützten sie. Gleichzeitig dienten sie auch einem anderen Zweck: Sie sollten die Schülerinnen einsperren. Auch wenn es eine behütete Umgebung war, in denen die Mädchen ihre Jahre verbringen würden, sollten sie auch dafür sorgen, dass die Schülerinnen sich auf das Lernen konzentrieren sollten. Sie sollten zu einer Elite an Magierinnen erzogen werden, die ihrem Volk dienen würden und ihre Kräfte für das Wohl der Allgemeinheit einsetzen sollten. Fast alle der Mädchen stand eine Position im Staatsdienst in Aussicht. Einige würden später in der Armee Dienst tun, wieder andere würden in diplomatische Posten berufen werden.

Der Weg der Prinzessin war vorbestimmt. Sie würde Königin werden, wenn ihre Mutter sich zurückziehen würde. Entsprechend gespalten standen die anderen Schülerinnen ihr gegenüber, einige wollten sich mit ihr anfreunden, andere zeigten unverhohlen ihre Abneigung oder Feindschaft. Sie hatte es nicht leicht und musste im ersten Jahr viele Schmähungen ihrer Mitschülerinnen über sich ergehen lassen.

Auch Atriba war zunächst skeptisch, was die junge Adelige betraf. Aber schnell entdeckte sie das gute Herz der Prinzessin und sie wurden enge Freundinnen.

„Wenn ich Königin bin, mache ich dich zu meiner Botschafterin, dann bist du meine vertrauteste Person im Königreich."

Die junge Atriba lachte nur, schloss die Prinzessin aber in ihr Herz für dieses Vertrauen.

Atriba war eine klassische Feuermagierin, zumindest sollte aus ihrem Talent eine werden; die Prinzessin war eine zukünftige Windmagierin. Der Grundunterricht war aber für alle verbindlich und wichtig. Die Unterrichtsstunden gestalteten sich für Atriba als langweilig. Sie las bereits in ihrer freien Zeit in der Bibliothek über alles, was ihr vor die Augen kam. Und sie hatte sich bereits in die theoretischen Magiegestaltungen eingelesen. Jede Frage der Lehrerin konnte sie aus dem Stegreif beantworten und so wurde sie zu einer Musterschülerin.

An einem ihrer freien Tage im vierten Ausbildungsjahr, gingen Atriba, die Prinzessin und Larah auf einen Streifzug durch den nahe gelegenen Wald, um das theoretisch erworbene Wissen anzuwenden. Keiner Schülerin war es gestattet, ohne die Aufsicht eines Lehrers die Magie anzuwenden. So trafen sie sich immer heimlich für ihre magischen Spielchen.

„Wetten wir, dass ich diesmal wieder gegen euch gewinne?" Larah steckte die Nase in die Luft und sah furchtbar überheblich aus.

„Nur weil du ein Jahr weiter bist, als wir, musst du uns nicht frotzeln", sagte die Prinzessin trotzig.

„Was wollen wir diesmal machen?", fragte Atriba und unterbrach den aufkeimenden Streit.

„Wie wäre es, wenn wir wieder Äpfel vom Baum holen?", warf die Prinzessin ein.

„Ach nein, lasst uns doch lieber etwas schwereres machen? Lasst uns diesmal Nüsse vom Baum holen", schlug Larah vor.

Die anderen waren einverstanden und so gingen sie durch den herbstlichen Wald mit seinen roten und gelben Blättern und unter ihren Füßen raschelte das trockene Laub. Weit genug von der Burg der Zauberschule entfernt hielten sie an einem Nussbaum an und legten die Köpfe in den Nacken.

„Wir versuchen abwechselnd die Nüsse, die die anderen auswählen, herunter zu holen."

Atriba und Larah nickten.

„Gut, dann fange ich an", bestimmte die Prinzessin. „Atriba, die Walnuss auf dem Baum im oberen Ast."

Atriba beschattete ihre Augen mit einer Hand und konzentrierte sich. Sie zog die Wärme aus der Umgebung zusammen und ließ einen kleinen Feuerball, halb so groß wie die anvisierte Walnuss, aus ihrem Zeigefinger losfliegen. Schnurstracks flog die kleine Flamme auf die Nuss und traf sie. Senkrecht fiel die Nuss in das Laub und blieb liegen.

Lachend drehte sich Atriba um und zeigte auf die Prinzessin. „Und jetzt du." Sie zeigte in den Baum auf eine Walnuss, halb von einem Blatt verdeckt. „Die da oben", rief sie und trat einen Schritt zurück.

„Oh, das ist aber schwer", die Prinzessin schob die Unterlippe vor und atmete tief ein; verdichtete die Luft und stieß sie hervor. Eine Welle von konzentrierter Luft prallte gegen die Nuss und ließ sie herabfallen. Zufriedenheit zeigte sich auf dem Gesicht der Prinzessin. Kichernd klatschte sie vor Begeisterung in die Hände und trat von einem Fuß auf den anderen.

„Gut gemacht", lobte Larah.

„Ja sehr gut gemacht, Hexenschlampe!"

Erschrocken drehten sich die Mädchen um und sahen einen Jungen mit verpickeltem Gesicht und zerrissenen Kleidern. Barfuß stand er auf dem Waldboden.

Larah, ganz mutig ging einen Schritt auf den Jungen zu, der auf sie herunterblickte und setzte ihr ernstes Gesicht auf. „Wer bist du denn?", fragte sie den Jungen.

Ohne zu antworten ging er um sie herum und missachtete ihre Anwesenheit vollkommen. „Die kleine Blonde gefällt mir. Hast du nicht Lust heute Nacht mein Lager mit mir zu teilen?"

Unfähig zu einer Erwiderung stand der Prinzessin der Mund offen.

Der Junge streckte die Hand aus und drückte ihr die Brust. „Ein bisschen Flach, aber für eine Nacht sollte es reichen."

Entsetzt schlug die Prinzessin die Hand des Jungen weg und sprang zurück. „Lass uns in Ruhe."

„Warum sollte ich?" Frech grinsend stellte er ihr nach und streckte den Arm wieder aus, um erneut nach ihr zu greifen.

Atriba wurde wütend und sprang dazwischen, schubste den Jungen, dass er auf den Hosenboden fiel. „Hau ab!", drohte sie ihm.

Wut blitzte in den Augen des Jungen auf und er sprang wieder auf die Füße. „Na warte..."

Drohend kam der Junge auf Atriba zu und hob die Fäuste.

Schnell zog die Zauberschülerin die Wärme der Umgebung zusammen und ließ eine Flamme auf ihrer Handfläche tanzen. „Ich warne dich", drohte sie.

„Glaubst du, ich habe Angst vor deinen Zauberspielchen?"

„Sei vorsichtig", warnte Larah hinter Atriba.

Der Junge holte aus und wollte seine Faust in Atribas Gesicht rammen.

Ohne zögern schnippte die junge Zauberschülerin mit den Fingern und die Flamme schoss davon, genau auf den Jungen zu und flog in seine Nasenlöcher.

Der Junge nieste und bekam einen roten Kopf. Dann riss er die Augen auf und schrie. Er griff sich panisch ins Gesicht, wedelte sich Luft zu und krümmte sich, fiel auf die Knie. Seine Schreie steigerten sich. Die Oberfläche seiner Augen warfen Blasen und trübten sich ein. Mit einem letzten Aufbäumen erstarb der letzte Schrei des Jungen und plötzlich herrschte Ruhe. Eine Mischung aus Blut und grauer Masse floss aus seiner Nase.

„Du hast ihm das Hirn gekocht", stellte die Prinzessin fest.

„Unglaublich", flüsterte Larah.

Mit ausdruckslosem Gesicht starrte Atriba auf den toten Jungen. „Es gab keine andere Möglichkeit."

„Danke, meine Freundin." Die Prinzessin legte ihr die Hand auf den Rücken.

Atribas Hände waren eiskalt und zitterten. „Was sollen wir machen?"

„Wir vergraben ihn im Wald und schweigen" Larah war an Atriba vorbei gegangen und stand über den Toten gebeugt.

„Wir müssen über das, was grade passiert ist, Schweigen bewahren. Versprecht mir das."

Atriba und Larah nickten. „Schwören wir es und niemals soll das hier wieder über unsere Lippen kommen", sagte die Prinzessin.

Ruhig und mit gesenkten Köpfen schlichen sie sich zurück in die Zauberschule und verließen niemals mehr heimlich die Burg.

Gadah

Er hatte lange mit Isela an Thoms Bett gesessen. Es tat ihm gut mit der jungen Frau über Thom zu reden. Für Gadah war er ein Held. Ein Held wie aus den klassischen Sagen, von denen man den Kindern vor dem Einschlafen erzählte. Er beugte sich auf seinem Stuhl nach vorne und sah Isela in die Augen. „Du liebst ihn oder?"

Sie schlug die Augen nieder und legte ihre Hand auf Thoms. „Ich glaube schon. Er hat uns das Leben gerettet, aber es ist nicht nur das. Seine Art, eine Aufrichtigkeit ist bewundernswert."

„Ich weiß, was du meinst. Er kam zu mir und fasste neuen Lebensmut. Vielleicht kannst ihm dabei helfen Lydia zu vergessen, falls er wieder aufwacht."

„Sag so etwas nicht. Er wird wieder aufwachen, ich weiß es!" Tränen erschienen in ihren Augen und sie streichelte seine Hand.

„Das hofft niemand mehr als ich, das kannst du mir glauben. Er ist mir wie ein Sohn ans Herz gewachsen."

Beide schwiegen für ein paar Augenblicke, dann straffte sich Gadah und streifte die melancholische Stimmung ab. Es gab noch viel zu tun und Thom war nicht der einzige Verletzte. Aus dem Nebenraum stimmte Holderar ein neues Lied an und die Männer sangen alsbald mit ihm. Er hellte die Stimmung der Kranken und Verletzten auf. „Ich muss wieder Isela. Bleibst du noch etwas bei ihm?"

Sie nickte. „Ich bleibe bei ihm."

Gadahs Gesichtsausdruck wurde weicher, nickte ihr zu und ging nach draußen.

Draußen atmete er tief durch und schüttelte die Trauer über Thoms Zustand ab. Langsam wurden die Leute aus seiner Zeit weniger. Osan, Erkilor. Beide weilten schon in der nächsten Welt. Von seinen alten Kameraden abgesehen war noch Hunerik übrig. Auch um ihn sorgte sich Gadah. Huneriks Husten gefiel ihm nicht, aber gegen eine Untersuchung würde sich sein alter Freund wehren. Er lenkte seine Schritte auf den Paradeplatz, auf dem der Schänder schon wieder die dienstfähigen Soldaten auf Trab brachte. Er blieb am Rand des

Paradeplatzes stehen und beobachtete seinen Freund, der die Soldaten in seiner ureigenen Art motivierte.

„Ho, ihr Lamärsche. Bewegt euch was schneller beim Wechsel der Kampfreihen. Wenn ihr euch erst gegenseitig die Eier krault, haben die ersten schon eine Klinge zwischen den Rippen, bevor sie überhaupt ihr Schild hochbekommen. Und du da hinten, der mit den schwarzen Haaren. Hat dich deine Mutter ausgeschissen? Du bist der langsamste beim Wechsel. Solltest du dich nicht am Riemen reißen, werde ich dir meinen Stock in den Arsch rammen und dich als Stockpuppe benutzen. Dich kann man ja im Laufen ficken."

„Reiter nähern sich", erschallte ein Ruf von der Wache am reparierten Tor.

Gadah sah auf und riss sich vom Anblick der Soldaten los. „Wieviele?", rief er dem befehlshabenden Optio am Tor zu.

„Zwei, Herr", antwortete der Unteroffizier. „Ein Mann und eine Frau", ergänzte der Optio.

„Ich komme." Gadah ging zum Tor und kletterte über die provisorische Leiter nach oben.

Der Optio und seine Männer salutierten vor dem Kriegskonsul. „Da hinten Herr. Sie kommen direkt auf uns zu."

Gadah beschattete seine Augen mit der Hand und spähte den Reitern entgegen. „Du hast verdammt gute Augen, Mann."

„Danke, Kriegskonsul."

Da die Leute direkt auf das Lager zuritten, konnte es kein Zufall sein, dass sie hier waren.

„Dann bin ich mal gespannt, wer uns da besucht. Optio, bring sie zu mir, wenn sie angekommen sind."

„Jawohl, Herr."

Gadah warf noch einen letzten Blick auf die Heranreitenden und wandte sich dann zum Gehen.

In seiner Unterkunft wurde er beim Verfassen des Tagesberichtes durch das Klopfen des Optios unterbrochen. „Herein!", rief er und legte den Federkiel beiseite, mit dem er in engen Zeilen das Leben und die Ausbildung im Lager festhielt.

Die Türe ging auf und der Optio kam herein und salutierte. „Herr, die Herrschaften möchten dich sprechen."

„Danke Optio. Sie sollen hereinkommen."

Ohne auf die Einladung des Unteroffiziers zu warten, drängte sich eine schlanke, ganz in Leder gekleidete, Frau durch die Türe. An ihrem Lederwams hing eine ganze Armada an Wurfmessern. Ihr folgte ein großer, schwerer Mann mit dichtem schwarzen Bart und schulterlangen dichten Haaren in derselben Farbe. Der Mann war breit gebaut und hielt einen Arm fest am Körper. Erst als Gadah auf die Hand schaute, sah er, dass die Hand aus Metall war.

Gadah nickte dem Optio zu. „Danke, das war alles."

Der Mann entfernte sich und schloss die Türe hinter sich.

„Mein Name ist Kriegskonsul Gadah. Mit wem habe ich die Ehre?"

Die Frau führte das Wort. „Mich kannst du Züleyha nennen und dies ist Krok. Wir sollen dem Befehlshaber dieser Legion eine Botschaft überbringen."

Gadah deutete auf die Stühle vor seinem Schreibtisch. „Bitte, nehmt Platz. Kann ich etwas anbieten? Wasser, Wein?"

„Wasser bitte", meldete sich der Mann zu Wort und zog einen Stuhl zu sich heran.

„Für mich auch", sagte die Frau.

Gadah schenkte seinen Gästen das Wasser aus und schob die Becher über den Tisch. „Ich bin der Befehlshaber dieser Legion. Was kann ich für euch tun?"

Krok zog aus seinem Wams einen versiegelten Brief und reichte ihn über den Tisch. „Den hier sollen wir dir überbringen."

„Danke", Gadah nahm den Brief und drehte ihn hin und her. „Was steht dort drin?"

Züleyha zuckte mit den Schultern. „Wir sind nur die Boten, die den Brief überbringen sollen. Was dort drin steht, wissen wir nicht."

Gadah musterte die beiden und zog eine Augenbraue hoch. „Ihr seht aber nicht so aus, als ob ihr nur Boten seid."

„In diesem Falle schon." Die Frau nahm ihren Becher mit Wasser und nippte daran. „Belassen wir es dabei."

Der Kriegskonsul schürzte die Lippen und nickte. „Gut, belassen wir es dabei." Er brach das Siegel und entfaltete den Brief. Schnell flogen seine Augen über die klare, ästhetische Handschrift einer Frau. Am Ende des Schreibens angekommen, las er ihn noch einmal. Schließlich legte er es offen vor sich auf den Tisch und lehnte sich in seinem gepolsterten Stuhl zurück. „Wer ist dieser von Norderstedt und diese erste Botschafterin?"

Von Norderstedt hatte es vorausgesehen, dass der Befehlshaber Fragen stellen würde und Krok und Züleyha angewiesen, sie offen und ehrlich zu beantworten. „Von Norderstedt ist der Bruder des Königs, der sich gegen ihn gestellt hat und arbeitet als Agent gegen ihn. Die Botschafterin war am Hof des Königs, als der König den Friedensvertrag brach. Sie konnte einem Mordanschlag nur knapp entkommen und ist zu Norderstedt geflüchtet. Sie spricht im Namen der Herrscherin der Zaubervölker." Züleyha endete und gähnte hinter vorgehaltener Hand.

„Wer sagt mir, dass ich euch glauben kann?"

Auch diese Frage hatte von Norderstedt vorausgesehen. Krok griff noch einmal in sein Wams und zog ein zweites Schreiben hervor. „Was hier drin steht wissen wir. Es ist eine Generalamnestie für alle Streitkräfte, die sich auf die Seite der Königin und gegen den König des Reiches Dharan stellen.

Wenn du das Angebot in dem Brief annimmst, wird die oberste Botschafterin diese Amnestie unterzeichnen."

Das Angebot aus dem Brief annehmen. Gadah dachte nach. Die Königin bat seine Legion um einen gefährlichen Gefallen. Ihre Armee war hierzu zur Zeit nicht in der Lage. Er beschloss, offen zu seinen beiden Gästen zu sein. „Die Botschafterin will, dass ich mit meinen Männern eine Nekropole einnehme und von allen Feinden säubere. Die Untoten sollen dort ihre Ursprung haben."

Züleyha und Krok hatten sich so etwas gedacht und wechselten einen kurzen Blick.

„Wie ich sehen, überrascht es euch nicht. Was ist diese Nekropole für ein Ort?"

„Ein böser Ort", schnappte Züleyha.

Krok und der Kriegskonsul sahen sie an.

„Willst du es erzählen oder soll ich?", fragte Krok sie.

„Ich erzähle ihm davon." Züleyha holte tief Luft und setzte dann an. „Ich sollte mit einem Adeligen der Zaubervölker die Nekropole auskundschaften und geriet in Gefangenschaft. Dort treiben Nekromanten ihr Unwesen, die Untote wie Marionetten unter ihrer Kontrolle haben. Untereinander sprachen sie immer von einem Todesfürsten, den sie wieder zum Leben erwecken wollten. Die Botschafterin kannte den Namen des Magiers, den die Nekromanten als Todesfürsten bezeichneten. Soweit wir im Gespräch mit ihr erfahren haben, sind die Untoten das Ergebnis von Experimenten, die ihren Ursprung im großen Krieg nahmen."

„Was ist mit dir in der Gefangenschaft passiert?"

„Sie folterten mich und wollten Informationen aus mir herauspressen."

Krok fiel ihr ins Wort, bevor Züleyha zu viel erzählte und zugab die Informationen verraten zu haben, die die

Nekromanten erfahren wollten. „Ich ritt mit Norderstedt in die Stadt und wir haben sie befreit."

Gadah schaute skeptisch. „Einfach so?"

Krok schüttelte den Kopf. „Nicht einfach so. Von Norderstedt hatte ein Artefakt dabei, was uns vor den Untoten schützen sollte. Aber war es so gut wie nutzlos. Nur der Willen der Nekromantenmagier zählte. Wenn sie es nicht gewollt hätten, wären wir nicht mehr aus der Stadt heraus gekommen und wir stünden heute auf der anderen Seite, als Untote."

„Wie viel Mann sichern die Nekropole? Stehen Soldaten dort?"

„Nein, nur Untote und Nekromanten. Wie viele weiß ich nicht. Aber die Nekropole ist nicht nur durch durch sie gesichert." Krok kratzte sich auf dem Kopf.

„Sondern?", fragte Gadah lauernd.

„Die Stadt ist durch hohe, uneinnehmbare Mauern gesichert.", fuhr Züleyha fort, „Aber die lässt sich mit einem Seil und etwas gutem Willen überwinden. Schlimmer ist die magischen Sicherungen."

„Nur weiter", ermutigte Gadah und verschränkte die Arme vor die Brust.

„Rund um die Stadt ist ein magischer Ring, der bei jedem Angst auslöst, der sich der Stadt nähert. Ich habe es am eigenen Leib erlebt. Die Botschafterin sagte, es warten in der Stadt noch weitere Fallen, von denen wir verschont geblieben sind."

„Das klingt ja äußerst vielversprechend."

Züleyha hob die Hände und zeigte die Handflächen. „Wir sind nur die Boten."

Gadah lachte laut auf. „Tut mir leid, aber ihr seid alles andere als Boten."

„Wie kommst du darauf?", wollte Krok wissen.

„Euer ganzes Auftreten. Die meisten Menschen scheißen sich ein, wenn sie eine Uniform sehen, aber ihr sitzt hier und plaudert mit mir über eine Nekropole, die vollgestopft ist mit Nekromanten und Untoten. Die Messer, die deine Frau bei sich trägt, benutzt sie sicherlich nicht nur zur Nagelpflege. Und du trägst die Narben eines Kriegers im Gesicht. Die Muskeln unter deinem Hemd kommen nicht vom Lesen oder Feld pflügen. Also, wer seid ihr?"

Seine Gäste wechselten einen Seitenblick, bevor die Frau wieder das Wort ergriff. „Für einen einfachen Kommandanten stellt ihr viele Fragen."

„Ich bin verantwortlich für meine Männer und muss wissen, welcher Gefahr ich sie aussetzen soll und ich will nicht nur einen Teil der Geschichte kennen, sondern alles."

Züleyha kaute auf ihrer Unterlippe. „Na gut", fällte sie eine Entscheidung, „Ich bin die Nichte des Königs und von ihm verraten worden. Krok ist ein ehemaliger Gladiator, der zu Unrecht verurteilt worden ist. Wir wollen einfach nur ein friedliches Leben führen, mit unserer kleinen adoptierten Tochter."

Gadah ignorierte den letzten Einwand Züleyhas. „Das bedeutet, ihr habt beide noch eine Rechnung mit dem König offen. Und der Todesfürst mit deinen untoten Bastarden steht hinter dem König. Kurzum: Wir haben den gleichen Feind und das gleiche Ziel."

Krok rutschte unruhig auf seiner Sitzfläche hin und her. Er konnte förmlich fühlen, wie sich das Netz um sie enger zog.

„Ich werde mit meinen Offizieren besprechen, ob wir uns auf das Angebot einlassen. Aber stellt euch darauf ein, dass wir euch als ortskundige Späher mitnehmen."

„Das kann nicht dein ernst sein", fuhr Züleyha auf, wurde aber direkt von Gadah unterbrochen.

„Keine Widerrede. Ich brauche Leute, die sich in der Nekropole auskennen, sonst laufen wir blind in eine unbekannte

Stadt. Und ich will einen persönlichen Kontakt mit dieser Botschafterin. Das sind meine Bedingungen."

Noch bevor einer der beiden etwas sagen konnte, stand Gadah auf und rief nach dem Optio, der innerhalb von zwei Herzschlägen im Raum erschien.

„Herr?"

„Weise unseren Gästen ihre Unterkünfte zu. Sie dürfen ihre Waffen behalten und sich frei im Lager bewegen, es aber nicht verlassen."

„Jawohl, Herr."

„Gut, ich danke euch für eure Botschaft. Ich lasse es euch wissen, wenn wir zu einer Entscheidung gekommen sind." Ohne ein weiteres Wort verließ er den Raum und Krok war mit Züleyha und dem Optio alleine. Beide starrten vor sich. Höflich räusperte sich der Legionär.

„Und, was meinst du?", fragte Züleyha.

„Ich glaube, wir stecken wieder einmal bis zur Kinnlade in der Scheiße", sagte Krok.

Der Todesfürst

Kiridul ging in gebührendem Abstand hinter seinem Meister her und war erfüllt von Stolz.

Die Bewegungen des Meisters waren geschmeidig und leichtfüßig. Nach der Wiedererweckung konnte man dabei zusehen, wie er die Kontrolle über den auserwählten Körper bekam. Jetzt war es so, als ob er in dem Körper geboren worden wäre.

„Du hast deine Sache gut gemacht, Kiridul", sagte der Meister zu ihm, „Es war nicht ungefährlich für dich in das Seelenreich zu kommen und mich zu befreien."

„Für dich hätte ich jede Gefahr auf mich genommen, Meister."

„Ich weiß mein guter Schüler. Aber so sehr ich dich für meine Wiederkehr lobe, muss ich dich für dein Versagen als Heerführer tadeln."

„Wir sind überrascht worden. Ich stand mit meinen Nekromantenbrüdern abseits des Heeres und wir waren soweit der Legion den Rest zu geben. Bis auf einmal dieser Zauberer hinter uns auftauchte mit seinen Begleitern. Von da an verloren wir die Kontrolle über unser Heer, weil wir uns auf unsere eigene Verteidigung konzentrieren mussten. Die Geschöpfe waren somit ohne unsere Kontrolle und für den Feind war es ein Leichtes, sie zu überwältigen."

Der Todesfürst schüttelte den Kopf. „Das alleine war es nicht. Trotz der fehlenden Kontrolle durch die Nekromanten hätte unser Heer die Legion schlagen müssen. Sie hatten einen zahlenmäßigen Vorteil und sind nicht so einfach zu schlagen wie ein profaner Sterblicher. Der Kontrollverlust war nur ein Aspekt der Niederlagen. Es spricht alles dafür, dass die Männer auf das vorbereitet waren, was ihnen gegenüber getreten ist. Sonst wären sie alleine durch den Anblick der Geschöpfe in Angst verfallen und wären im Nachteil gewesen."

Kiridul dachte für einen Augenblick über die Schlussfolgerung seines Herren nach. „Das wäre eine Möglichkeit. Allerdings wirft dieser Rückschluss die Frage auf, wer sie gewarnt haben könnte."

Der Todesfürst winkte ab. „Uninteressant. Wichtiger ist vielmehr, wer der unbekannte Zauberer war, der solche Kräfte entfesseln konnte und mein halbes Heer vernichtet hat und wo er jetzt ist."

„Soll ich einen Suchtrupp aussenden, um ihn aufstöbern zu lassen?"

„Nein. Wir würden ihn nur vergeblich suchen und Zeit verlieren. Ich habe bereits mit dem König gesprochen. Er stellt uns einen Teil seiner Leibwache zur Verfügung, damit so etwas nicht noch einmal geschieht. So seid ihr beim nächsten Mal abgeschirmt vor feindlichen Angriffen und könnt euch auf eure Aufgabe konzentrieren." Der Meister blieb stehen und sah auf die große Halle herab, in dem die Nekromanten einzelne Untote gegeneinander Kämpfen ließen, nur mit der Kraft ihrer Gedanken.

„Wie ich sehe, kommen wir weiterhin gut voran."

„Ja, Herr. Die Geschöpfe sind noch stärker als bei dem Angriff auf die Legion und unsere Brüder sind nahezu perfekt in ihren Fähigkeiten."

„Das bedeutet, dass wir bald mit dem Eroberungsfeldzug beginnen können."

Kiridul bestätigte mit einem Nicken. „Ja. Und alle getöteten Feinde werden in unseren Reihen als die Feinde unserer Feinde wieder auferstehen und ihren Freunden einen gehörigen Schrecken einjagen, wenn sie sie wiedersehen. Sie werden zwar nicht so stark sein, wie die Geschöpfe, die wir mit den Experimenten erschaffen haben, aber sie werden unsere Reihen auffüllen und ihren Dienst verrichten."

Sie gingen weiter auf der Empore und beobachteten für eine Zeit schweigend die Nekromanten bei ihren Übungen. Kiridul sah die zerfurchte Stirn seines Meisters.

„Was beschäftigt dich, Herr? Bist du mit irgendetwas nicht zufrieden?"

„Ich bin soweit zufrieden. Mich beschäftigt immer noch der unbekannte Zauberer. Einen Mann dieser Stärke sollte ich eigentlich fühlen können. Aber ich fühle nichts. Entweder ist er tot oder verbirgt sich vor mir."

„Könnte er das denn so einfach?"

„Wohl kaum. Und das macht mir Sorgen. Ich fühle die Anwesenheit einiger anderer Zauberer, die ich mit Leichtigkeit besiegen könnte. Aber diesen Unbekannten fühle ich nicht."

Sie gingen weiter, sahen dem Schauspiel unter ihnen aber nicht mehr zu.

„Herr, was ist mit dem König? Dass er die Botschafterin des Palastes verwiesen und ihrem Volk den Krieg erklärt hat, war nicht klug von ihm."

„Das war sogar ausgesprochen dumm. So konnte sie sich in Sicherheit bringen und ihre kleine Königin warnen. Etwas dümmeres hätte er nicht tun können. Und das lediglich, weil er nicht länger derjenige sein wollte, der den fügsamen König spielt. Das war nichts als falscher Stolz. Sobald wir in der Hauptstadt sind, werde ich mich des Problems annehmen."

Kiridul kannte die Pläne seines Meisters. Zunächst sollte der Königin ein Ultimatum gestellt werden ihren Thron aufzugeben und der Todesfürst würde ihn dann übernehmen; als Kaiser des Reiches Rhadiala, in dem Dharan nur noch eine unbedeutende Provinz gewesen wäre, denn seine Pläne erstreckten sich nicht nur auf die Insel, sondern auch auf das Festland im Süden, jenseits des kleinen Meeres, was das Festland von der Insel trennte. Aber zunächst mussten sie Rhadiala unterjochen. Kiridul wusste, dass es nicht nur Feinde in diesem Reich gab, sondern auch Magier, die genug davon hatten, sich die Nekromantie verbieten zu lassen. Schon alleine deswegen, weil der Tod keine Bedeutung mehr besaß, wenn man sie beherrschte. Sein Meister war das lebende Beispiel dafür, dass die Auferstehung von den Toten nicht nur ein Traum war, sondern vielmehr eine Vision, die jedem Magier offenstand. Dass dafür andere Menschen starben, war vollkommen unbedeutend. Ihre Geschöpfe würden nicht mehr als Vieh sein, die ihren Willen untertan waren. Und diejenigen, die sich auf die richtige Seite schlugen, würden von dieser Macht profitieren. Reichtum und Wohlstand würde ihnen bevorstehen. Und wer würde sich dagegen schon wehren?

## Thom

Die Vögel zwitscherten und die Sonne brach sich ihren Weg durch den kleinen Spalt. Der helle Strahl wärmte Thoms Gesicht und hob ihn sanft aus den Tiefen des Schlafes. Er blinzelte und atmete tief durch. Wie hatte er sein zu Hause und seine Familie vermisst. Jetzt hatte er sie wiedergefunden. Und noch viel mehr. Er drehte sich vom Rücken auf die Seite. Lydias roter Lockenkopf lag in den weißen weichen Kissen. Sie atmete ruhig und ihr Gesicht spiegelte eine Ruhe und Zufriedenheit wieder, die Thom nur selten bei ihr gesehen hatte. Er beobachtete sie eine Zeit lang und fühlte die Wärme in sich aufsteigen, die ihm seit ihrem Verlust nicht mehr vergönnt gewesen war zu verspüren. Nackt lag sie unter der Decke gekuschelt. Er rückte an sie heran und küsste sie auf die Nase.

Leise stöhnte sie und schlug die Augen auf. „Guten Morgen, mein Schatz", begrüßte Thom sie.

Ohne ein Wort zog sie ihn sanft an sich heran und küsste ihn auf den Mund.

Er schloss die Augen und genoss die sanfte Liebkosung ihres Mundes und ihrer Zunge, die seinen Mund erforschte. Dann lagen sie, Stirn an Stirn noch schweigend einander zugewandt und sahen sich in die Augen.

In der Luft lag noch der sanfte Geruch der vergangenen Liebesnacht, die hinter ihnen lag.

Unten klapperte es und Thom lächelte. „Mutter macht das Frühstück."

„Ich höre es. Deine Mutter ist eine gute Frau. Ich wünschte, ich hätte deine Familie früher kennengelernt."

Er küsste sie wieder. „Wir haben Zeit, Lydia. Uns kann nichts mehr trennen."

„Ich weiß nicht. Ich habe das Gefühl, wir werden uns wieder verlieren."

„Selbst wenn wir uns nochmal trennen müssen, ich werde wiederkommen und du wirst wissen, dass ich zu dir zurückkehren werde."

Ihre Augen strahlten ihn an. „Wir haben noch ein wenig Zeit, bis das Frühstück fertig ist. Ich hätte da eine Idee, wie wir diese Zeit nutzen können."

Thom schmunzelte und streichelte ihre nackte Schulter. „Du meinst ein Frühstück vor dem Frühstück?"

Lydia schlug die Decke zurück und schwang sich rittlings auf Thom. „Ja, so etwas in der Art schwebt mir vor." Sie beugte sich herab und drückte sich an ihn. Seine Lust stieg und er ergriff ihren Lockenkopf. Niemals wollte er hier wieder weg.

Nach dem gemeinsamen Frühstück mit Lydia und seinen Eltern stopfte Thoms Vater seine Pfeife und begann zu schmauchen. „Wir haben gehört, dass du in der Oberwelt ein mächtiger Krieger geworden bist, den die Leute fürchten. Ich erinnere mich, dass du nicht viel Interesse an Kampfübungen hattest, als wir noch zusammen oben waren."

„Die Situation hat es erforderlich gemacht es zu lernen, Vater."

„Wohl wahr. Und wie ich hörte, hattest du einen guten Lehrer." Sein Vater sog an der rauchenden Pfeife und legte den Kopf in den Nacken, schloss die Augen und schlief ein.

An der Tür klopfte es und er schreckte wieder aus seinem kurzen Schlummer.

Meradon kam mit ernstem Gesichtsausdruck in den Raum und grüßte knapp. „Thom, wir haben etwas zu erledigen. Dein Wunsch, jemand Bestimmten zu sprechen, wird entsprochen."

Die Nachricht traf Thom wie ein Hammerschlag. „Wieso das auf einmal?" Er konnte seine Überraschung nicht ganz verbergen.

„Das wird er dir selbst erklären. Wir sollten uns beeilen."

„Musst du wieder weg?", fragte Lydia unsicher.

„Es scheint so", antwortete Thom. „Meradon, sag mir ehrlich, muss ich mich von meiner Familie verabschieden?"

„Zur Sicherheit solltest du es." Meradons unbewegter Miene ließ sich nichts entnehmen. „Ich warte draußen auf dich." Er verließ das Haus und zog die Türe hinter sich zu.

Mit betroffenem Gesichtsausdruck trocknete sich seine Mutter die Hände ab und nahm ihren Sohn dann in den Arm. „Wir wussten, es war noch nicht endgültig, dass du bei uns bleiben würdest. Es war schön, dich wiederzusehen. Aber wenn du die Möglichkeit hast, kehre zurück in die Oberwelt und lebe dein Leben", flüsterte sie in sein Ohr.

Sein Bruder und sein Vater drückten ihn kurz und wünschten ihm alles Gute. Als er sich von Lydia verabschieden wollte, griff sie nach seiner Hand. „Ich gehe mit dir nach draußen."

Meradon wartete mit hinter dem Rücken verschränkten Händen auf Thom. Lydia und er standen auf der Veranda und hielten sich eng umschlungen. „Was soll ich dir wünschen, mein Liebster?"

„Wünsch mir eine gute Heimkehr."

„Du glaubst an ein Wiedersehen?"

„Ganz fest, Lydia. Mein Besuch hier hat mir gezeigt, dass man keine Angst vor dem Tod haben muss. Wichtig ist, nicht wann man stirbt, sondern wie man lebt und was man im Leben bewirken kann. Aufrecht und ehrlich durchs Leben zu gehen. Und das höchste Gut im Moment des Todes kann nur sein, sich sicher zu sein, zu seinen Freunden gestanden zu haben, seine Familie und Lieben geehrt zu haben und sich irgendwann in der Ewigkeit wiederzusehen."

„Das klingt zu schön."

„Es ist wahr Lydia." Thom nahm ihren Kopf in beide Hände und zog sie an sich heran, um sie zu küssen. Lang und innig standen sie so umschlungen. Als sie sich schließlich lösten, glitzerten Tränen in Lydias Augen. „Wir werden uns wiedersehen", flüsterte Thom und löste sich von ihr. Sanft küsste er noch einmal ihre Hände und drehte sich dann zum Gehen.

Meradon schritt voraus und Thom folgte ihm.

„Leb wohl, Thom", sprach Lydia tonlos und sah ihnen nach. Sie wusste, Thom würde sich nicht umdrehen. Erst als sie in er Ferne verschwanden, ging sie wieder ins Haus und weinte leise.

„Und Khulat will mich wirklich sprechen?"

„Ja, er hat mich geschickt, um dich zu holen. Und ich will dich warnen. Wenn du mit ihm sprichst, sei dir darüber im Klaren, dass du einem Gott gegenüber stehst, nicht irgendeinem Sterblichen, der ein Opfer deiner Kräfte wird. Zeige Respekt und Demut."

„Du tust so, als ob ich ..."

„Ich will nur nicht, dass du dir durch deine Überheblichkeit alles verbaust."

Thom sagte nichts dazu, wartete einfach, was passieren würde.

„Wir sind gleich an einem Portal, das wird uns schnell zu Khulats Residenz bringen." Meradon deutete auf einen kleinen Steinkreis. „Dort hin. Wir müssen und lediglich in den Steinkreis stellen, alles andere erledigt Khulat für uns."

Sie stellten sich in den Steinkreis und warteten. Nach wenigen Atemzügen ummantelte sie ein gelbes Licht und blendete sie.

Thom kniff die Augen zusammen und fühlte ein kaltes Kribbeln auf der Haut. Dann verebbte das Licht und er stand mit Meradon in einer prachtvollen Halle.

Vor ihnen stand ein Junge im Alter von zehn Jahren, der in einem blauen Umhang gekleidet war und zu ihnen aufsah.

Meradon legte Thom die Hand auf den Arm, um ihn vor voreiligen Kommentaren zu warnen.

„Khulat, Gott des Seelenreiches, hier bringe ich dir den, über den wir gesprochen haben." Meradon deutete auf seinen Sohn, der begriff, dass das zehnjährige Kind Khulat war.

„Ich sehe es." Er ging langsam um Meradon und Thom herum und besah sich die Ankömmlinge genauestens. „Sieht gar nicht so besonders aus. Ihn unterscheidet nichts von den anderen Seelen, die sich in meinem Reich befinden."

„Herr, ich versichere dir, in der Welt der Lebenden besitzt er Kräfte, die nur wenige besitzen. Er wird dir gute Dienste dort leisten, das versichere ich dir."

„So so... gute Dienste." Der Gott stellte sich vor Thom und sah zu ihm auf. „Sag mir, kannst du das Halten, was dein Vater mir versprochen hat?"

Thom sammelte sich für einen Moment, bevor er antwortete. Er spürte, wenn er sich jetzt falsch verhielt, war er in größeren Schwierigkeiten als jemals zuvor. „Was erwartest du denn von mir?"

Meradon sog scharf Luft durch die Zähne ein, angesichts seiner Antwort.

Für einen Moment verzog der Gott keine Miene, dann lächelte er.

„Kommt mit, ich zeige dir, was ich von dir erwarte."

Sie folgten Khulat zu einem großen Tor, welches sich öffnete.

„Entgegen der allgemeinen Meinung unter den Sterblichen ist das Seelenreich nicht unangreifbar von der Oberwelt. Es gibt zwischen der Welt der Lebenden und der Toten einen ständigen Austausch. Du bist das beste Beispiel dafür. Noch schwebst du zwischen dem Seelenreich und der Oberwelt. So wie du sind auch andere Seelen hier, die darauf warten, endgültig in mein Reich einziehen zu dürfen. Wieder andere werden zurück an die Oberwelt geschickt, damit sie dort das Leben der Sterblichen weiterführen können, bis sie sterben."

Er machte eine weit ausholende Bewegung. Hinter dem Tor erschienen grüne Wiese, Wälder und Flüsse. Glückliche Menschen. „Dies ist mein Reich. Grob gesagt ein Abbild der Oberwelt, nur um ein Vielfaches vorhanden, damit alle Seelen hier unter ihren gewohnten Lebensumständen die Ewigkeit verbringen können. Die Entscheidung, welche Seele wieder in die Oberwelt entlassen wird, obliegt alleine mir. Bis vor kurzem...

Eine Seele ist von hier befreit worden. Und ob das nicht schon schlimm genug wäre. Diese Seele bezieht ihre Kraft aus meiner Welt und vermischt die Welt der Lebenden und das Seelenreich."

Er machte eine andere Bewegung und vor dem Tor erschien eine trostlose schwarze Landschaft, kein Fleckchen grün war zu sehen. Felsige Landschaften, tote verdorrte Bäume und schwarze Flüsse prägten das Bild. Asche flog durch die Luft und verdunkelte die Sicht auf die Sonne.

Khulat ergriff wieder das Wort. „Das was ihr hier seht, ist das Ausbluten meines Seelenreiches. Die Energie meines Reiches wird abgezogen durch diese geflohene Seele. Ein Teil von ihr ist noch hier, aber der größte Teil von ihr ist wieder in der Oberwelt. Seine ganze Kraft speist sich aus meiner Welt. Das ist die vollkommene Vernichtung und wird mit weiterem Fortschreiten dazu führen, dass die natürliche Ordnung zusammenbricht. Letzten Endes wird die Barriere zwischen dem Seelenreich und der Oberwelt brechen und beide werden sich verbinden. Der ständige Tod wird in die Oberwelt Einkehr halten und alles Lebende vernichten." Der Gott beendete seine Ausführungen und ließ sich das Tor wieder schließen.

„Das ist ja furchtbar", sagte Meradon.

„Das ist nicht nur furchtbar, es wäre das Ende der Welt, wie die Sterblichen sie kennen. Selbst vor den Gottheiten würden diese Veränderungen nicht halt machen. Kriege, Verdammnis und das Ende der Menschen sind die letztendlichen Konsequenzen." Khulat drehte sich wieder zu Thom und Meradon um. „Die entflohene Seele muss auf ewig in mein Reich zurückgeführt werden, dort kann ich sie gefangen halten, damit sie keinen weiteren Schaden mehr anrichten kann. Allerdings kann ich nicht in die Oberwelt einkehren, um diese Seele selbst zurückzuholen. Dafür benötige ich deine Hilfe." Er sah Thom an und wartete auf eine Antwort.

„Kurzum. Du willst, dass ich diese Seele töte."

„Ja, dafür werde ich dich in deinen Körper zurückkehren lassen, wenn du dies für mich erledigst."

„Und wenn nicht?"

„Dann hole ich dich in mein Reich und du lebst für die Zeit in Frieden, für die es noch existiert."

Thom überlegte. Entweder er kehrte in die Oberwelt und erfüllte den Auftrag des Gottes, würde damit seiner Familie und Lydia eine friedliche Ewigkeit bescheren. Allerdings müsste er sich wieder von ihnen trennen. Dafür würde er seine Freunde in der Oberwelt wiedersehen und gemeinsam mit ihnen streiten können. Er atmete tief aus. Seine Entscheidung war gefallen. „Ich gehe. Aber ich will ein Versprechen von dir."

„Sprich, Sterblicher."

„Wenn ich wieder in dein Reich einkehre, will ich zu meiner Familie und meiner Frau zurückkehren können und die Ewigkeit mit ihnen verbringen."

„Der Wunsch sei dir gewährt."

„Danke. Und nun sag mir, welche Seele ich dafür töten muss."

Meradon verließ mit ihm den Palast des Gottes. „Du hast eine weise Wahl getroffen, mein Sohn."

„Ich hatte keine große Wahl. Würde ich hierbleiben, müsste ich auf den Untergang warten. Bis dahin wären die Tage eine stetige Qual, weil ich wüsste, dass meine Familie in Gefahr schwebt, selbst in ihrem Tod nicht ihren Frieden zu haben. Eine Wahl war das nicht."

„Du bist etwas besonderes Thom. In dir schlummert eine große Kraft und außer dir wird niemand diese Seele wieder ins Seelenreich zurückführen können. Der Mann, der dir gegenüber tritt ist ein mächtiger Magier mit einer großen Armee. Er ist dir nicht nur ebenbürtig, sondern durch seine Kräfte als Nekromant und seine Männer sogar überlegen. Seine Anhänger sind auch mächtige Feinde für dich. Sei dir dessen bewusst!"

„Ich habe die Nekromanten schon einmal besiegt."

„Und wärst dabei fast gestorben. Nutze deine Kraft klug, mein Sohn. Du kämpfst jetzt nicht nur für die Lebenden, sondern auch für die Toten. Es ist nicht nur eine Ehre, sondern auch eine schwere Bürde für dich."

„Sterblicher", rief eine Stimme hinter ihm.

Thom drehte sich zu Khulat um. „Ja?"

„Dein Vater hat recht. Sei dir bewusst, dass nicht weniger als die Ordnung der Welt auf deinen Schultern ruht. Ich wünsche dir Glück."

„Bevor du gehst, will ich dir noch etwas sagen, Sterblicher."

Thom schaute ihn auffordernd an.

„Dein Schwert, was dir der Schmied geschenkt hat."

„Was ist mit dem Schwert?"

„Der Schmied hat dich angelogen. Er hat das Schwert nicht selbst hergestellt. Er hätte es gar nicht gekonnt. Kein Mensch wäre in der Lage dieses Metall, aus dem die Klinge besteht, zu bearbeiten. Es stammt nicht von dieser Welt. Genauso wie die Artefakte deiner Freunde. Nur im Gegensatz zu dem Metall, was die Männer vor Magie schützen soll, zieht das Metall deines Schwertes die Magie an. Mit ihm wirst du noch stärker sein, als du es eh schon bist. Die beiden Metalle sind wie bei einem Magneten. Der eine Pol zieht die Magie an, der andere Pol stößt sie ab."

„Woher stammt das Metall denn dann und wer kann es bearbeiten?"

„Eure Priester werden euch bestimmt erzählen, dass es göttlichen Ursprungs ist, aber die Wahrheit ist eine andere. Es ist das Metall eines toten Sterns, der in seine Einzelteile zerbrochen ist und einen Teil hiervon hat eure Welt abbekommen. Das Metall, was die Magie abstößt, kann jeder Schmied, der ein wenig Geschick an den Tag legt bearbeiten. Aber das Metall, was die Magie anzieht, kann von keiner Schmiede der Menschen bearbeitet worden ein. Keine Esse der Menschen würde heiß genug brennen, um es zum Glühen zu bringen, geschweige denn zu bearbeiten. Dies ist nur in den heißesten Essen der Zwerge möglich."

„Warum hat Solek mich denn angelogen?"

Khulat zuckte desinteressiert mit den Schultern. „Menschen sind komische Wesen. Sie rühmen sich mit Taten, die einem anderen zugeschrieben werden müssen und sind sogar noch stolz darauf."

„Und warum hast du es mir erzählt?"

„Weil du wissen musst, dass du keine gewöhnliche Waffe in Händen hältst. Mit ihr in Händen kannst du der geflüchteten Seele gegenüber treten und darauf hoffen, dass du siegen kannst. Ohne sie wärst du ihr hoffnungslos unterlegen."

„Verstehe. Auch wenn deine Auskunft nicht uneigennützig war, danke ich dir." Thom verbeugte sich spöttisch.

„Und noch etwas, Sterblicher", rief Khulat. „Wenn du die Seele töten willst, geh in die Nekropole. Du wirst sie dort finden."

Thom wollte etwas sagen, aber ein helles Licht ummantelte ihn und die Welt um ihn herum verblasste. Durch einen weißen Schleier sah er Meradon winken und die Lippen bewegen; verstand aber die Worte nicht mehr. Alles um ihn herum wurde von dem Licht verschluckt und Thom fühlte die Leichtigkeit, die er bei seiner Einkehr bereits verspürt hatte. Ihm wurde schwindelig und verlor die Besinnung, wusste nicht mehr wo oben und unten war. Dann ging ein Schlag durch seinen Körper und er schlug die Augen auf. Gierig sog er Luft in seine Lungen. Seine Sinne waren noch trüb, aber aus weiter Ferne hörte er die Stimme Iselas. „Legionär, hol den Kriegskonsul. Sag ihm: Thom ist aufgewacht."

Atriba

Die Botschafterin kniete vor dem Kommunikationsstein und sah in das Antlitz der Königin, die mit geröteten Wangen vor dem zweiten Stein saß. Weit entfernt in ihrem Palast.

„Atriba, meine Freundin, ich frage mich, ob es nicht ein Fehler war, dieser Legion ein Bündnis anzubieten."

„Ich verstehe deine Gedanken, aber wir brauchen diese Legionäre. Unsere Einheiten stehen zu weit von der Nekropole entfernt. Zudem ist davon auszugehen, dass eine Eroberung der Totenstadt hohe Verluste mit sich bringen wird. Warum sollten wir da unsere eigenen Soldaten opfern?"

„Ich weiß, du wärst die bessere Königin von uns, Atriba. Deine Gedanken sind skrupelloser als meine und du bist bereit, über Leichen zu gehen, wenn es dem Wohl des Königreiches dient."

Demütig senkte Atriba den Kopf. „Es war Teil meiner Ausbildung, meine Königin."

„Ich weiß. Manchmal vergesse ich, was man uns damals beigebracht hat. Mein ganzer Hofstaat hier schirmt mich von schwerwiegenden Entscheidungen ab. Und wenn etwas Schwerwiegendes ansteht, steht ein ganzer Stab an Beratern an meiner Seite und zieht und zerrt an mir herum, um mich von den jeweiligen Standpunkten zu überzeugen. Diese endlosen Diskussionen sind so ermüdend. Ich wäre so froh, wenn wir nochmal zusammen über die Wiesen und Felder reiten und nochmal so frei sein könnten wie früher."

Atriba gab sich für einen Augenblick der Erinnerung hin, besann sich aber wieder auf das Hier und Jetzt. „Wenn wir die Nekropole mit den Nekromanten und den Untoten einnehmen, können wir uns in Ruhe um die Absetzung des Königs kümmern. Ich habe schon einen Plan, wie wir ohne viel Blutvergießen dieses Vorhaben umsetzen können."

„Weihst du mich, als deine Königin, in diese Pläne ein?"

„Noch nicht. Norderstedt und ich müssen noch die Einzelheiten ausarbeiten."

„Ganz wie früher, was?" Ein Lächeln umspielte die Lippen der Königin. „Du Geheimniskrämerin. Ich kann froh sein, in die dir einzig wahre Vertraute zu haben."

„Ich danke dir für dein Vertrauen. Ich werde dich nicht enttäuschen!"

„Wir müssen unsere Sitzung beenden, ich werde beim Hof erwartet." Das Antlitz der Königin verblasste und verschwand letztendlich.

„Pass auf dich auf, meine Freundin", sagte Atriba, sich bewusst, dass die Königin sie nicht mehr hören konnte.

In ihren Notizen kramte sie, nach einem kleinen Abendessen, ihre Aufzeichnungen über die Nekropole hervor und suchte sich einen ruhigen Platz, um sich im Salon die Besonderheiten der Nekropole vor Augen zu führen. Wenn die Legionäre siegen sollten, musste sie ihnen mehr Informationen zukommen lassen. Und wenn der Kommandant kein Narr war, würde er sie persönlich sprechen wollen, bevor er mit seinen Männern ins Ungewisse ausrückte.

Sie ordnete sie Papiere vor sich auf dem Tisch und begann die Informationen aus ihnen zusammenzufassen.

*Kluth Cinur war eine Stadt, die von einer alten Rasse errichtet worden ist. Einer Rasse, die vor den Menschen die Welt bevölkert hat. Es ist so wenig von dieser Rasse geblieben, dass ihre Existenz fast nur eine bloße Legende ist. Es war die Rasse der Pvudir.*

*Dem Menschen nicht unähnlich, waren sie alle zwei Meter groß, von ausgesprochener Schönheit und von großem Geist gewesen, der sie zu intellektuellen Höchstleistungen befähigte. Und so wenig, wie über ihre Herkunft bekannt ist, umso mehr ist über ihr Ende bekannt. Die ersten Menschen wandelten bereits über die Erde und dienten den Pvudir als Sklaven, als diese uralte Rasse sich selbst zu Göttern aufschwingen wollte. Sie waren der Allmacht und Unsterblichkeit so nahegekommen, dass der Rat der Götter beschloss, ihnen die Gunst zu entziehen und sich den Menschen zuzuneigen. So suchte die Pvudir eine furchtbare Seuche heim, die sie dahin raffte. Ihr Fleisch wurde von den Tieren geholt, ihre Knochen zerfielen zu Staub und wurden vom Wind davongetragen. Ihre Städte waren entvölkert und tot. Kein Lebewesen schaffte es, sich für längere Zeit in ihnen aufzuhalten. Eine Aura der Angst vertrieb sie. Und so mied man die großen, fortschrittlichen Städte mit all ihren Errungenschaften fortan. Aus den Metropolen wurden Nekropolen, deren Geschichte in den Jahrtausenden in Vergessenheit geriet. Genauso wurde Kluth Cinur zu einer dieser Nekropolen.*

Atriba rieb sich über den Nasenrücken, um die Müdigkeit zu vertreiben. Während sie die Aufzeichnungen sichtete, leerte sie ein Glas Wein und bemerkte, wie schläfrig wurde. Wenn sie noch ein Glas tränke, würde sie einschlafen, bevor sie ihre Arbeit vollendet hätte. So griff sie nach der Karaffe mit frischem Wasser und goss sich davon ein Glas aus. Nach einem großen Schluck führte sie ihre Arbeit fort.

*Die Pvudir beherrschten eine weitaus stärkere Magie, als die Menschen heute. Ihr ganzer Alltag war durchzogen von Magie. Ihre Städte und Bauten verfügten über Einrichtungen von denen heutige Baumeister nur träumen konnten. Und auch ihre Bauwerke waren mit Magie durchsetzt. Zur Abwehr von Feinden wurde die Mauer mit einer Magie versetzt, die Feinde in Angst versetzen sollte. Und auch in der Stadt selbst waren magische Fallen, die die ursprünglichen Bewohner vor Eindringlingen schützen sollten. Die neuen Bewohner, die die Nekromantenmagie beherrschten, veränderten die magischen Abwehrmechanismen, die nun nur noch auf alles Lebende reagierten. So konnten sich die Untoten und die Nekromanten ungefährdet in der Nekropole bewegen, während sich jeder lebende Mensch einer Gefahr aussetzte.*

Die erste Botschafterin lehnte sich zurück und war zufrieden mit den zusammengetragenen Fakten. Alles in allem sprachen die Fakten eine Sprache, die jeden Befehlshaber dazu gebracht hätte sich lachend abzuwenden, wenn er danach gefragt worden wäre, wie er denn gedenke, die Nekropole einzunehmen. Mit einer normalen Armee wäre es schier unmöglich gewesen einzudringen. Entweder musste man mit Männern dort eindringen, die Magie beherrschten und sich vor den magischen Fallen schützen konnten oder man wählte die andere Lösung: Man suchte Männer, die mutig genug waren und gegen Untote bestehen konnten. Das hatte die Legion des Kriegskonsuls bewiesen; und das mit Erfolg.

Es klopfte an ihrer Türe und sie schreckte aus ihren Gedanken hoch. „Wer ist da?", rief sie.

„Ich bin es. Norderstedt", kam es von vor der Türe.

„Komm rein."

Vorsichtig öffnete sich die Türe zu ihren Gemächern und Norderstedt betrat den Raum.

„Bist du fertig mit deiner Arbeit?" Ein Blick auf die Unterlagen verriet ihm die Arbeit der Botschafterin.

„Soweit schon. Ich denke alles Wichtige ist zusammengetragen und wenn wir den Kriegskonsul treffen, können wir ihm etwas an die Hand geben, damit er weiß, was ihn und seine Männer erwartet."

„Wir müssen also den Befehlshaber treffen?"

„Würdest du mit einer Armee ausrücken, nur auf einen Brief hin und das Wort von zwei Boten?"

„Wohl eher nicht."

Atriba stand auf und ging zum Fenster, um es zu öffnen. Obwohl es noch nicht lange her war, dass der letzte Schnee lag, war die Luft angenehm und erfrischend. Sie lüftete Atribas müden Geist und vertrieb die Müdigkeit ein wenig. „Ich hoffe, wir können den Befehlshaber dazu bringen, sich auf unsere Seite zu stellen."

„Also bleibt es zu hoffen, dass wir nicht auf einen Fanatiker treffen, der alte Kriege aufleben lassen will."

„So ist es."

Gadah

Seine Freude über das Erwachen Thoms wurde durch die geistige Abwesenheit seines ehemaligen Novizen getrübt. Nach dem Aufwachen verlangte er zu Essen und zu Trinken und schlief anschließend weiter. Beim nächsten Erwachen wartete Isela immer noch neben seinem Bett und sorgte sich um ihn. In den Augenblicken am Abend, in denen Gadah mit Thom alleine war, redete Thom zumeist wirres Zeug. Der Junge lag noch im Fieber und wälzte sich verschwitzt in den Laken.

Beim Verlassen des Lazaretts wartete Isela auf ihn. „Hat er dir etwas gesagt?", wollte sie wissen.

Gadah schüttelte den Kopf. „Nein, nur von seiner Familie und Lydia. Er sprach mit ihnen."

„Genauso war es bei mir auch. Als ich bei ihm saß, sprach er von seiner Liebe zu Lydia. Er muss sie sehr geliebt haben."

„Ja, das hat er. Er wäre lieber selbst gestorben, als von ihrem Tod zu erfahren."

„Glaubst du, in seinem Herzen ist Platz für eine andere Frau? Irgendwann?"

„Er ist jung. Du musst ihm Zeit geben. Er muss vergessen um sich neu öffnen können."

„Ich werde für ihn da sein", sagte sie entschlossen.

„Das ist gut. Du bist eine gute Frau und du solltest die Hoffnung behalten. Was wäre das Leben schon ohne Hoffnung?"

„Hast du noch Hoffnung und Träume, Gadah?"

„Natürlich habe ich die. Eines Tages hoffe ich mich zur Ruhe setzen zu können, in einem friedlichen Land, ohne Angst zu haben und vor allem ohne das hier." Er klopfte auf seinen Schwertgriff.

„Gerade bei dir glaubt man, du seist ganz verwachsen mit der Waffe. Genauso wie Thom."

„Das täuscht. Ich habe sie schon einmal abgelegt und ich werde nicht traurig sein, wenn ich sie weglegen kann. Für einen Krieger gibt es nur zwei Arten zu sterben. Entweder mit der Waffe in der Hand, jung und kräftig. Oder er legt seine Waffe irgendwann weg und setzt sich zur Ruhe, kauft sich einen Hof, eine Kneipe und verbringt seine alten Tage dort in Frieden. Aber so etwas wie mich, einen Krieger, der langsam alt wird und noch immer mit der Waffe in der Hand seinen Feinden gegenüber tritt, so etwas ist nicht gut. Ich bevorzuge die Variante, in der ich mich mit einer Frau zur Ruhe setze und die Waffe weglege. Der erste Versuch, Frieden zu finden, war nicht erfolgreich. Mich in einem Kloster zu verstecken war nicht meine beste Idee gewesen. Es scheint so, als ob eine Kraft glaubt, dass meine Aufgabe noch nicht erledigt ist."

„Was stört dich daran, als Krieger durchs Leben zu gehen? Viele Männer mit dir tauschen wollen."

„Der Kampf war für mich ein Lebensinhalt. Später war es eine Last. Jetzt ist es eine Pflicht. Jemand muss die Menschen in diesem Land beschützen, darauf habe ich einen Eid abgelegt, vor vielen Jahren."

„Und diesem Eid fühlst du dich noch verpflichtet?"

„Die Frage muss lauten, ob der Eid noch gültig ist. Und da mich niemand davon entbunden hat, kann die Antwort nur ja lauten."

„So einfach ist es in deinen Augen?"

„Ja, so einfach ist es. Das Volk braucht Schutz und zum Schutz ist die Armee da."

Isela machte einen Gesichtsausdruck, als ob sie nicht mit Gadahs Ansicht übereinstimmte, schwieg aber.

„Geh zu Thom, Isela. Er braucht eine zarte Hand und Pflege. Holderar ist bei ihm. Lass ihn nicht zu lange mit dem Zwerg alleine, sonst flößt er ihm noch Schnaps ein, zur Feier des Tages."

Ihr Gesichtsausdruck wurde weich und sie ging an Gadah vorbei ins Lazarett.

Die Türe fiel zu und Gadah bewunderte die Aufrichtigkeit der jungen Frau. Sie war anders als Lydia, kämpferischer und zäher, aber genauso liebreizend. Sofern es Thom schaffte sich von seinen Erinnerungen zu lösen und zu vergessen, würde er in Isela eine gute Frau finden.

Er seufzte und setzte sich in Bewegung um in seinem Quartier Hunerik zu treffen.

Schon von draußen hörte er das rasselnde Husten seines alten Freundes. Trotz des wärmeren Wetters verschlimmerte sich der Husten immer mehr. Anfangs hatte Gadah noch gehofft, dass sein Freund an einer Entzündung der Atemwege litt oder an einer Lungenentzündung. Aber das Blut, was er von Zeit zu Zeit ausspie, verhieß nichts Gutes. Nach seiner Rückkehr von seiner kleinen Reise nahm er sich vor mit Hunerik über seine Erkrankung zu sprechen.

Er wartete noch einen Augenblick, bis sich Hunerik von dem Hustenanfall erholt hatte und ging dann in sein Quartier.

Sein Freund saß vor seinem Schreibtisch und trank aus einem Becher Schnaps.

„Glaubst du, das Saufen hilft dir gegen den Husten?", kommentierte Gadah beim Eintreten, biss sich aber sofort auf die Zunge.

„Es wird mir auch nicht schaden", entgegnete Hunerik und trank den Becher in einem Zug leer. Gleichzeitig griff er nach der Flasche, um sich nachzuschenken.

„Schenk mir auch einen ein", bat Gadah und setzte sich hinter seinen Schreibtisch.

„Worauf trinken wir, alter Knabe?", wollte der Schänder wissen und hob seinen Becher.

„Auf das Leben?"

Hunerik lachte grimmig in sich hinein. „Darauf trinke ich, aber ob es hilft. Ich weiß nicht."

Gadah warf seine Vorsätze über Bord. „Du weißt, was los ist mit dir, oder?"

Der Schänder schenkte sich nochmal den Becher bis zum Rand voll und starrte versonnen auf sein Getränk. „Vor zwei Jahren war ich bei einem Heiler, der hat mir gesagt, wie es um mich steht."

„Krebs?"

Ein Schatten huschte über Huneriks Gesicht. „Ja. Es fing mit Kopfschmerzen an und Sehschwächen. Der Heiler meinte, ich hätte einen Tumor im Gehirn, der sich ausbreiten würde. Gegen den Tumor im Gehirn konnte er nichts machen, aber er konnte mir eine Medizin geben, die das Wachstum hemmen sollte. Leider war der Krebs schon in meinem Blut und hatte in die Lunge gestreut. Ich habe mich mit Mikos in das Haus im Wald zurückgezogen um bis zum Ende meiner Tage zu Fressen und zu Saufen. Dann kamst du und hast mich hierhin mitgenommen. Eine letzte Aufgabe für den Schänder, dachte ich mir. Es schien mir doch reizvoller, mit dir noch ein letztes Mal in den Kampf zu ziehen, als sich zu Tode zu fressen." Hunerik lächelte versonnen.

„Wie lange hast du noch?" Gadah befiel eine Trauer, die sich mit großer Müdigkeit in seine Glieder setzte.

Hunerik zuckte mit den Schultern. „Wenn ich noch etwas von dem Pulver bekommen kann ein halbes Jahr. Ohne weniger."

Gadah kippte seinen Schnaps herunter und schenkte sich nach. „Verflucht schlechte Neuigkeiten. Wann hast du vor gehabt, es mir zu sagen?"

Der Schänder zuckte mit den Schultern. „Ich hatte die Hoffnung in einer Schlacht zu fallen und nicht vor mich hin siechend im Bett. Meine Krankheit wäre mit mir gestorben." Er trank einen Schluck Schnaps und schaute seinem Freund in die Augen. „Schau nicht so traurig. Wir müssen alle mal gehen. Der eine früher, der andere später. Und den Zeitpunkt bestimmen nur die Götter." Er trank den Rest seines Bechers leer und knallte ihn auf die Tischplatte. „Und jetzt sag mir, was du von mir wolltest. Noch bin ich ja da und erfülle meine Aufgabe."

„Na gut." Gadah schenkte sich nochmal nach und leckte sich über die Lippen. „Ich werde mit unseren beiden Gästen reiten und mir diese Botschafterin ansehen. Ich will sehen, wie ernst sie ihr Angebot meint."

„Glaubst du nicht, es könnte eine Falle sein?"

„Möglich, aber das Risiko muss ich eingehen."

„Wieso schickst du nicht einen von uns? Du bist zu wertvoll für die Legion, als dass wir uns es leisten könnten, dich zu verlieren."

„Ich will mir einen persönlichen Eindruck verschaffen. Wenn ich den Eindruck gewinne, dass wir ihr nicht vertrauen können, schmieden wir andere Pläne."

„Dann nimm wenigstens ein paar Leute mit, damit du nicht alleine mit den Fremden reisen musst."

„Wen schlägst du vor?"

„Die Offiziere können wir nicht missen. Was hältst du von dem Zwerg und Villorr?"

„Holderar ist eine gute Idee. Aber Villorr möchte ich nicht dabei haben."

„Traust du ihm nicht?"

„Das kann ich nicht sagen. Ich möchte aber jemanden dabei haben, bei dem ich mir keine Gedanken darum machen muss. Er war Erkilors Mann, nicht meiner." Gadah überlegte weiter laut: „Thom muss sich noch weiter erholen, Isela und Milana scheiden aus. Bleiben drei oder vier Leute aus den Mannschaften. Das muss reichen."

„Gut, ich suche dir vier zuverlässige Männer aus. Wann willst du aufbrechen?"

„Morgen Früh werde ich mit ihnen aufbrechen und wenn wir uns beeilen sollte ich in zehn Tagen wieder zurück sein. Und wenn alles so läuft, wie die Botschafterin geplant hat, werden wir eine ganze Stadt erobern."

„Mit den kläglichen Resten der Legion können wir froh sein, wenn wir nicht erneut angegriffen werden. Die leeren Reihen sind eine Einladung für jeden Feind."

„Ich glaube nicht, dass etwas passieren wird. Schick aber zur Sicherheit Patrouillen aus, um die nähere Umgebung im Auge zu behalten."

„Du übergibst mir das Kommando?"

„Ja. Du wirst einen schriftlichen Befehl von mir erhalten, welcher dich in meiner Abwesenheit zum Kommandanten macht."

„Respekt, mein Freund. Du hast Mut. Ich mag ein guter Ausbilder sein, aber einen guten Kommandanten werde ich nicht abgeben."

„Du sollst mich ja auch nur vertreten, bis ich wieder da bin. Halt den Tagesablauf aufrecht, drill die Leute, achte auf die Disziplin und auf Nimius. Nimius ist ein Feigling. Ein sehr gefährlicher Antrieb für einen Mann. Luzil ist ein guter Offizier und auch Olizu wird dir helfen. Die Schlacht hat ihn zum Mann gemacht und seine Männer respektieren ihn."

„Ich werde sie im Auge behalten. Sorg du nur dafür, dass du gesund wieder zurückkommst."

„Mach dir keine Sorgen um mich. Wenn der Zwerg in meiner Nähe ist, werde ich einen guten Leibwächter haben."

Hunerik lachte. „Ja, und du wirst immer wissen, ob er in deiner Nähe ist."

„Woran?"

„Am Schnapsatem."


Krok


„Ich bin es so überdrüssig mir den Arsch wund zu reiten, auf dem harten Boden zu schlafen und in der Nacht darauf zu warten, dass mir die Kälte in die Knochen kriecht."

Züleyha drehte sich im Sattel um und schnitt eine Grimasse in seine Richtung. Sofort musste Krok grinsen und sein Ärger war verflogen. Die kuriose Reisegesellschaft ritt seit dem

Morgen und bald würde eine Pause anstehen, um den Pferden und Reitern eine Ruhe zu gönnen. Gadah hatte vier Legionäre mitgenommen. Jeweils zwei von ihnen bildeten die Vor- und Nachhut der Reisegruppe.

Krok ritt neben dem Zwerg und hörte bei jedem Schritt des Pferdes das Klimpern der Flaschen in seinen Satteltaschen. Von Zeit zu Zeit griff Holderar in eine der Satteltaschen und holte eine der Flaschen hervor, um einen Schluck daraus zu nehmen. Die erste Flasche leerte er noch alleine. Bei der zweiten Flasche bot er Krok auch einen Schluck an, der ihn dankbar annahm. Die zweite Flasche leerte sich und er fühlte sich wohler. Die Natur sog die Sonnenstrahlen auf und überall sprossen Blüten und frische Blätter an den Bäumen. Fast könnte man meinen, es sei eine friedliche Zeit. Der Zwerg wurde bei der dritten Flasche redseliger und erzählte von seinen Abenteuern mit Thom und seinen Kameraden der Rotte.

Krok wurde hellhörig. „Beschreibe mir diesen Thom."

Holderar beschrieb Thom und wie er ihn kennengelernt hatte.

„Ich kenne diesen Mann. Er lebt also." Krok nahm die Flasche und trank einen großen Schluck und begann seinerseits zu erzählen. Als er fertig war, war die dritte Flasche geleert.

„Wie klein die Welt ist", steuerte Gadah einen Beitrag zu der Unterhaltung bei. „Holderar, reich mir einmal die Flasche, dann erzähle ich auch noch meinen Teil der Geschichte."

Züleyha legte den Kopf in den Nacken. „Saufen und reden. Ich fasse es nicht. Vielleicht sollte sich mal jemand um die Kerle kümmern, die uns folgen."

„Wo siehst du die denn?", wollte Krok wissen.

„Ungefähr im Abstand einer halben Meile. Sie halten sich im Schatten des Waldes und hinter den Hügeln, aber sie verfolgen und definitiv", sagte Gadah.

„Du wusstest davon?" Züleyha sah ihn an, „Und hast nichts gesagt?"

„Was hätte es geholfen? Meine Männer wissen Bescheid und halten sie im Auge. Zudem nähern sie sich uns nicht."

„Ah, das bedeutet, es steht uns ein Kampf bevor", freute sich Holderar und tätschelte die Schneide seiner Axt. „Ich bin schon ganz eingerostet von der ganzen Warterei."

„Du bist höchstens eingerostet, weil du permanent mit Flüssigkeiten zu tun hast", frotzelte Gadah und tat so, als ob er trinken würde.

„Sollen wir die Rast verschieben?", fragte Krok.

„Nein, ich denke wir werden sie versuchen zu überraschen und statten ihnen einen Besuch ab." Gadahs Blick wurde hart und wusste, dass es nach Ärger roch.

Das Feuer, was sie entfacht hatten, brannte hell und knisterte. Die Pferde waren etwas abseits angebunden und einer der Legionäre bewachte sie.

Gadah hatte zur Rast eine Stelle ausgesucht, die schlecht einsehbar war. Geschützt von dichtem Wald und mit einem Hügel auf der Westseite blieb den Verfolgern nur die Möglichkeit zu warten, bis die Rast beendet war.

„Wann brechen wir auf?", wollte Holderar wissen.

„Sofort. Wir warten nur noch ein wenig, bis unsere Verfolger auch die Gelegenheit hatten, ein Lager aufzuschlagen, dann werden wir sie besuchen. Aber wir werden kein Blut vergießen, wenn es sich vermeiden lässt." Gadah schickte dem Zwerg einen strengen Blick.

Holderar ignorierte ihn und schärfte mit einem Wetzstein seine Axtklinge.

Die Soldaten verteilten sich um das Lager, um Wache zu halten und ihren Kriegskonsul vor eventuellen Feinden abzuschirmen.

Krok und Züleyha standen beieinander und steckten die Köpfe zusammen.

„Lass mich gehen, Liebling. Du hast getrunken", sagte Züleyha.

„Nein, ich gehe mit dem Kriegskonsul und dem Zwerg. Du bleibst bei den Legionären und passt auf unsere Sachen auf. Der Alkohol ist schon wieder raus aus meinem Blut."

„Dann halt dich aber zurück und spiele nicht den Helden. Ich möchte gerne einen lebendigen Mann an meiner Seite haben."

„Um was zu machen?" Krok zwinkerte ihr zu und beugte sich zu ihr herab.

Sie schlug ihn zärtlich vor die Brust und drückte sich kurz an ihn. „Sei vorsichtig", flüsterte sie und küsste ihn auf die Wange.

„Mach dir keine Sorgen." Er löste sich von ihr und ging zum Kriegskonsul. „Ich wäre soweit."

„Dann sollten wir aufbrechen. Einer wird uns beobachten, den schnappen wir uns zuerst und gehen dann mit ihm zum Lager."

„Hoffen wir mal, dass er den Weg nicht vergessen hat."

„Wenn, dann helfen wir ein wenig nach", fügte Holderar zu.

Sie pirschten sich durch die dicht stehenden Bäume und verständigten sich nur mit Handzeichen und flüsternd. Der Beobachter stand in knapper Sichtweite zum Lager und war, wie Gadah vermutet hatte, ein junger Bursche, der für die unliebsame Aufgabe abgestellt worden war. Von ihm unbemerkt näherten sie sich ihm und kreisten ihn ein.

Der Kriegskonsul glitt an einem Baum vorbei und legte dem jungen Mann von hinten das Messer an die Kehle. „Ein Laut und du stirbst."

Der junge Mann versteifte sich und stand starr da, ohne einen Laut von sich zu geben.

Holderar trat ebenfalls heran und zog das Schwert leise aus der Scheide, um es dann beiseite zu werfen. „Schau dir das Abzeichen an, Gadah."

Der Kriegskonsul knebelte den Mann und drückte ihn auf den Boden. Auf der Kleidung des Mannes befand sich in Herzhöhe ein Wappen, dessen Zentrum eine Krone bildete.

„Wer seid ihr?", fragte Gadah und stellte seinen Fuß auf die Brust des Mannes, der nur schwer Luft bekam.

„Ich weiß, wer sie sind." Holderar beugte sich über den jungen Mann. „Ihr seid Männer der Königsgarde, oder?"

Mit großen Augen starrte der Gefangene sie an und bewegte sich nicht.

„Antworte ihm", zischte Gadah und verstärkte den Druck mit dem Fuß auf die Brust des Mannes.

Schließlich nickte der Mann.

Zufrieden rieb sich der Zwerg die Hände. „Und welchen Auftrag habt ihr? Uns umbringen?"

Der Gefangene wiegte den Kopf hin und her.

„Nimm ihm den Knebel ab, er will uns was sagen", Krok hielt die Umgebung im Auge und ließ seinen künstlichen Arm hängen, bereit ihn einzusetzen, falls sich eine Gefahr näherte.

Holderar löste den Knebel ein wenig und warnte den Mann noch einmal ja keinen Laut von sich zu geben.

Ohne Knebel schnappte der Gefangene nach Luft. „Wir sollten euch beobachten und auskundschaften, was ihr plant. Sofern wir aber den Kommandanten der Legion in die Hände bekommen hätten, sollten wir ihn umbringen."

„Das reicht!", Holderar stopfte ihm wieder den Knebel in den Mund. „Ich denke, es ist alles klar."

„Noch nicht ganz", warf Krok ein und fragte den Mann: „Wie viele Männer seid ihr?"

Holderar löste nochmal den Knebel, um dem Mann die Möglichkeit zu geben, zu antworten.

„Mit mir sind wir sieben Soldaten. Es begleitet uns noch ein Magier."

Gadah kniff die Augen zusammen. „Was für ein Magier?"

„Ich weiß es nicht. Er hat weiße Haare und hält sich stets abseits von uns Männern. Er redet nur mit unserem Offizier, aber unser Unteroffizier hat gesagt, er würde über dunkle Mächte herrschen."

„Knebel ihn wieder, Holderar" befahl Gadah.

„Was machen wir nun?", wollte der Zwerg wissen.

„Wir statten ihnen einen Besuch ab", beschloss Gadah. Ganz offen. „Vielleicht können wir miteinander reden."

Krok kannte den Kriegskonsul noch nicht lange, aber er konnte am Lächeln im Gesicht des Mannes sehen, dass er nicht beabsichtigte zu reden.

„Was machen wir mit dem Kleinen hier?" Holderar stand wieder auf.

Ohne Mitleid sah der Kriegskonsul auf den Gefangenen herab. „Mach es kurz und schmerzlos."

Der Zwerg verstand sofort und zückte seine Axt.

Hektisch atmend versuchte der Soldat zu schreien, aber es kamen nur dumpfe Laute durch den Knebel.

„Tja, es tut mir leid, aber du hast du falschen Freunde." Holderar schwang die Axt über seinem Kopf und ließ die Klinge herabsausen.

Krok rang das Schauspiel keinerlei Mitleid ab. Er sah den Schädel des Jungen wegrollen und wandte sich wieder der Richtung zu, in dem das Lager der Verfolger lag.

„So, der ist jetzt in der nächsten Welt", verkündete Holderar und wischte die Axt notdürftig im Laub ab. „Bringen wir jetzt die anderen Arschlöcher um?"

„Ja. Wir gehen in ihr Lager und töten alles, was geboren wurde. Überlasst mir aber den Magier." Gadah prüfte, ob sein Schwert locker in der Scheide saß und marschierte los.

„Ein guter Plan, das muss ich sagen. Da muss ich ich mir nicht so viel merken." Der Zwerg folgte Gadah und stampfte los.

Krok überprüfte die Mechanik seines Armes und folgte ihnen durch den frühlingshaft duftenden Wald.

Über den Kopf des Zwerges hinweg sah Krok, wie der Kriegskonsul die aufgestellte Wache anging und dem überraschten Mann das Schwert in die Eingeweide trieb.

„Alarm", keuchte der Mann noch, bevor er mit verkrampften Händen versuchte, seine hervorquellenden Eingeweide zurückzuhalten.

Entschlossen stieß Gadah den Mann von der Klinge und marschierte weiter.

„Aufstehen ihr Langen. Der Kriegskonsul besucht euch, da kann man ein wenig mehr Freude zeigen", brüllte Holderar in das Lager hinein und lief mit gezückter Axt nach vorne.

Krok ließ die Schneiden in seiner Faust ausklappen und zückte mit der anderen Hand sein Schwert. „Ihr seid doch vollkommen verrückt", rief er den beiden hinterher, ordnete sich aber rechts vom Kriegskonsul in ihre Drei-Mann-Schlachtreihe ein.

Im Lager der Soldaten wurde es hektisch. Waffen wurden gezogen und sie versuchten eine halbwegs passable Ordnung in die überraschten Männer zu bekommen.

Holderar stürmte als erster vor und trennte einem Feind beide Beine mit einem weit geschlagenen Hieb ab. Brüllend fiel der Mann zurück und konnte nichts anderes tun, als zuzusehen, wie das Blut aus seinen Beinen strömte.

Krok blockierte einen wild geführten Hieb mit seinem Schwert und schlitzte dem Angreifer mit den Schneiden seiner Hand das Gesicht auf. Augen, Nase und Mund waren nur noch blutige Krater. Aufheulend taumelte der Mann und ließ seine Waffen fallen. Mitleidlos stieß er sein Schwert hervor und durchbohrte mit der Spitze die Kehle des Mannes. Luftröhre und Blutgefäße wurden durchtrennt und rosafarbener Schaum sprudelte aus der Wunde. Ihm folgten zwei Kämpfer, einer mit einem Speer bewaffnet, der andere mit einem Kurzschwert. Jetzt konnte er dem Kampfgeschehen seiner Gefährten nicht mehr folgen, sondern musste sich diesen Gegnern stellen.

Der Speerkämpfer führte einen Stoß, der auf sein Herz zielte. Krok drehte sich zur Seite, ohne Schaden zu verursachen, fuhr der Speer an ihm vorbei. Noch bevor der Kämpfer seine Waffe zurückziehen konnte, durchtrennte ein Schwerthieb Kroks den Schaft. Irritiert hielt der Kämpfer nur noch den kläglichen Rest des Speeres in der Hand, mit der er höchstens noch Butter hätte stampfen können. Noch bevor er sich wieder besann, krachte Kroks Metallhand mit der Rückseite gegen sein Gesicht und zertrümmerte die Knochen. Vom wuchtigen Schlag flog der Mann zurück und blieb regungslos liegen. Jetzt erst konnte der Schwertkämpfer Krok angehen, da sein Kamerad ihm die Kampflinie versperrt hatte. Aber auch er fiel schnell.

Krok drehte sich um und wollte schauen, wie es seinen Mitstreitern erging.

Um Holderar herum lagen die Leichen von zwei Soldaten. Einem Mann fehlte der Kopf, dem anderen hatte Holderars Axt den Schädel gespalten. Der Zwerg stand ein wenig abseits und schaute auch in Richtung des Kriegskonsuls, der einem weißhaarigen Mann gegenüberstand. Bewaffnet mit einem Kurzschwert und einem Holzstock.

Holderar bedeutete Krok stehen zu bleiben und sich zurückzuhalten. Dieser verstand nicht warum. Zu dritt würden sie den einzelnen Mann schnell überwältigt haben. Aber sein Instinkt riet ihm, sich an die Warnung des Zwerges zu halten. So sah er dem Kampf zu.

Das blanke Schwert des Kriegskonsuls glitzerte in der hellen Frühlingssonne und prallte auf die Klinge des weißhaarigen Magiers, der den Schlag mühsam abwehren konnte. Krok konnte erkennen, dass der Magier dem Kriegskonsul hoffnungslos unterlegen war, was die Kunst des Schwertkampfes anging. Noch ein zwei Schwertstreiche und der Magier würde der Klinge Gadahs zum Opfer fallen.

Dann aber stieß der Weißhaarige seinen Holzstab noch vorne und zielte auf damit auf die Brust des Kriegskonsuls. Dieser blieb ungerührt stehen und ließ seinen Feind näher an sich herankommen.

Plötzliche flammte eine grünliche Aura um den Kriegskonsul auf und dort wo der Holzstab auf die Aura traf, schossen kleine Blitze davon.

Vollkommen erstaunt blieb dem Weißhaarigen der Mund offen stehen und ein böses Lächeln erschien im Gesicht des Kriegskonsuls. Mit einer blitzschnellen Dreivierteldrehung brachte er Abstand zwischen sich und den Magier. Wie ein Fallbeil sauste die Klinge senkrecht herunter und trennte den Kopf vom Hals. Blut spritzte auf das grüne Gras und der Kampf war vorbei. Wo eben noch der Kampflärm geherrscht hatte, kehrte nun Ruhe ein. Vögel zwitscherten ihre Lieder und Insekten summten.

Krok hatte so etwas wie vorhin noch nie gesehen, aber er kannte die Legenden. „Du bist einer dieser Zauberjäger", sagte Krok zu Gadah, der seine Klinge an der Kleidung eines der Toten abwischte, bevor er sie zurück in die Scheide schob.

„Bravo, Gadah. Man sieht direkt, von wem Thom gelernt hat.. Ich werde nachher auf dich trinken."

„Mach das. Aber singe nicht wieder diese versauten Lieder, Milana verbietet mir sonst den Umgang mit dir." Er wandte sich an Krok. „Ja, ich bin einer der Zauberjäger."

„Warum hast du nicht ein schnelles Ende mit dem Magier gemacht?", fragte Krok.

„Von Thom und Holderar wusste ich, dass diese Holzstäbe der Nekromanten Magie freisetzen. Ich wollte wissen, ob unsere Schutzvorrichtungen auch gegen diese Art von Magie bestehen können."

„Und?", wollte der Zwerg wissen.

„Sie halten stand."

Krok klappte die Klingen seiner Hand wieder ein und ließ den Arm wieder einrasten.

„Leck mich am Arsch du Saukerl. Was hast du da für eine Vorrichtung an deiner Prothese?" Begeistert ging der Zwerg auf Krok zu und schaute neugierig auf seinen metallenen Arm.

„Ein Geschenk. Ich bin dankbar, es zu haben."

„Und du hast diesen Mistkerlen einfach die Visagen zerfetzt wie ein Bär. Sollte mir auch mal ein Arm fehlen, will ich auch so ein Ding haben."

„Ich würde gerne drauf verzichten, das kannst du mir glauben." Krok steckte sein Schwert weg und deutete auf die herumliegenden Leichen. „Wir sollten ihre Sachen durchsuchen und feststellen, ob sie etwas von Belang mit sich führen."

„Eine gute Idee. Lasst uns ihre Taschen ausleeren und schauen, was wir an Informationen gewinnen können. Dann zurück zu den anderen, bevor sie sich Sorgen machen." Gadah beugte sich herab und begann den Magier zu durchsuchen. Leider brachten die Durchsuchungen keine neuen Erkenntnisse und so verließen sie das kleine Schlachtfeld in Richtung ihres eigenen Lagers.

Luzil

Der Centurio beobachtete Isela beim Aufziehen einer neuen Sehne an ihrem Bogen. Sie stand auf dem Übungsplatz, fünfzig Schritt vor einer Zielscheibe und legte nun einen Pfeil auf die Sehne, zog sie zurück, zielte kurz und ließ den Pfeil davonfliegen. Zitternd stand der Pfeil im zweiten inneren Ring. Eine Neun!

„Bravo", lobte Luzil und zollte der Schützin seinen Respekt. „Ein guter Schuss."

„Ich habe den Wind nicht beachtet." Isela warf ihr blonden Haare zurück und legte einen neuen Pfeil auf, zielte und ließ den Pfeil von der Sehne. Sie traf mitten ins Schwarze. Sie senkte den Bogen. „Schaffst du das mit deiner Armbrust auch?"

Luzil ging zum Ausrüstungsstand und schnappte sich eine der Armbrüste, dazu einen Köcher mit Bolzen. Er spannte die Armbrust, legte sie an die Schulter und betätigte den Abzug. Sirrend flog der Bolzen und blieb im Schwarzen stecken. Ein glatter Schuss ins Schwarze.

„Zehn Schüsse aufs Ziel?", fragte Isela ihn.

„Von mir aus."

Jeder stand fünfzig Schritt von seiner Zielscheibe entfernt und legte ein Geschoss nach dem anderen auf ihre Waffen. Nach den vereinbarten zehn Geschossen senkten sie ihre Waffen und zählten die erzielten Ringe. Luzil hatte einen Ring mehr erzielt und den kleinen Wettkampf gewonnen.

„Gut geschossen, Frau. Von wem hast du das gelernt?"

Isela löste die Sehne von ihrem Bogen und rollte sie wieder zusammen. „Von dem Bruder meiner Mutter. Er lebte bis zu seinem Tod bei uns. Er war im großen Krieg Bogenschütze."

„Er muss gut gewesen sein, wenn er es dir so gut beigebracht hat."

„Das war er. Er war sogar einmal Meister bei den königlichen Turnieren gewesen."

„Da verdient er Respekt von jedem Schützen. Das königliche Turnier ist das anspruchsvollste im Land gewesen."

„Und von wem hast du Schießen gelernt?"

„Von der Armee. Nach der Grundausbildung wurden wir in die Waffengattungen eingewiesen, in denen unsere Begabungen lagen. Meine Begabung war das Schießen."

Isela deutete auf das Schwert an seiner Seite. „Und wie sieht es damit aus?"

„Die meisten Kameraden sind mit der Klinge besser als ich."

„Und mit der Armbrust?"

„Da bin ich besser als die meisten Kameraden", erklärte er grinsend.

Isela musste auch Lachen und packte ihre Ausrüstung zusammen. „Ich muss nach Thom sehen. Ich denke, er wird Hunger haben, wenn er wieder aufwacht."

Luzil nickte und blieb dann alleine zurück; sah ihr nach, wie sie in Richtung des Lazaretts abzog.

Einen Moment schaute er ihr noch nach und atmete langsam aus. Was für eine Frau.

„Mach dir keine großen Hoffnungen", ertönte Huneriks tiefe Stimme hinter ihm.

„Ich weiß." Luzil schulterte die Armbrust. „Wie lange bist du schon da?"

Hunerik hustete und spuckte einen Klumpen Schleim aus. „Lange genug." Hunerik hustete nochmals. „Wir müssen morgen besprechen, wie wir die Männer weiter ausbilden."

„Ich habe ein paar Ideen. Wie lange wird Gadah noch fortbleiben?"

„Er sprach von ein paar Tagen. Ich glaube, wenn alles gut geht, wird er in neun oder zehn Tagen wieder zurückkehren."

„Mhm..." Luzil hörte nur mit halbem Ohr zu.

„Hey. Ich habe dir doch gesagt, schlag sie dir aus dem Kopf."

„Was sagst du?" Luzil war ganz in Gedanken versunken gewesen.

„Sie liebt Thom."

„Hat sie das gesagt?"

„Sieh sie dir an. Höre sie reden."

„Frauen machen oftmals komische Sachen, die keinen Sinn ergeben."

„Das stimmt, aber sie hat es Gadah gesagt. Deswegen sitzt sie bei ihm und pflegt ihn."

„Ich hatte noch nie Glück bei den Frauen. Entweder waren sie vergeben und nicht interessiert oder ich habe für sie... bezahlt."

„Das Los eines Soldaten. Nur wenige finden in ihrer Dienstzeit eine Frau."

„Wie hast du es denn gemacht?"

Der Schänder gab ein Lachen von sich, was in einen kleinen Hustenanfall überging. „Ich habe es mir einfacher gemacht und hab mir einen Mann geschnappt. Davon gibt es in der Armee genug Auswahl."

Luzil lächelte. „Hast jemals mit einer Frau..ähm.."

„Ob ich es jemals mit Frauen getrieben habe? Ja, früher mal, als junger Mann. Aber es hat mir keinen Spaß gemacht. Später erst habe ich meine Bestimmung gefunden."

„Du bist sehr offen mit deiner Liebe zu Männern. Normalerweise würden die Soldaten jemanden in ihren Reihen belächeln und drangsalieren."

„Es sei denn der Mann ist härter als sie. Natürlich habe ich als Rekrut auch erfahren müssen, wie die Soldaten jemanden in ihren Reihen behandeln, der anders ist. Aber ich habe sie klein gekriegt. Alle miteinander. Und spätestens im Krieg ist jeder Mann froh, wenn er einen verlässlichen Kameraden hat. Dann ist es nicht mehr so wichtig, wo er seinen kleinen Freund reinsteckt."

Luzil sammelte sich wieder und versuchte Isela aus seinen Gedanken zu vertreiben. „Ich hau mich aufs Ohr. Morgen früh will ich mit den Männern weiter üben. Es werden harte Tage."

„Mach das. Und ein wenig Schweiß wird dich auf andere Gedanken bringen. Vielleicht findest du ja doch noch einen Kameraden für die Nacht." Hunerik lachte laut und schlug seinem ihm auf die Schulter.

Gadah

Er wusch sich den Schweiß vom Oberkörper und rasierte sich die stoppeligen Wangen. Mitten in der Nacht waren sie auf dem Anwesen Norderstedts angekommen. Die Wachen hatten ihnen ihre Quartiere zugewiesen. Gadah und Holderar hatten jeweils ein Einzelzimmer bekommen. Die Legionäre waren in den Mannschaftsunterkünften der Wachen eingewiesen worden.

Der Zwerg entschloss sich dazu, bei Gadah zu übernachten. „Schlaf, Kriegskonsul, ich kann diese Nacht mit wenig Schlaf auskommen und werde über dich wachen. Du musst morgen ausgeschlafen und bei Verstand sein."

Dankbar hatte Gadah seine Rüstung bis auf das Untergewand ausgezogen und sich ins weiche Bett gelegt. Er konnte dem Zwerg vertrauen, das wusste er. Und so versank er in einen tiefen und ruhigen Schlummer bis zum nächsten Morgen.

„Wie lange werden wir bleiben?", fragte Holderar ihn am nächsten Morgen.

„Das kann ich dir noch nicht sagen", antwortete Gadah. „Ich will so schnell wie möglich zurück zur Legion. Bei Hunerik ist sie zwar in guten Händen, aber ein Kommandant gehört zu seinen Männern."

Holderar wollte sich seine Axt umschnallen, aber Gadah hielt ihn zurück. „Wir gehen ohne Waffen. So viel Vertrauen sollten wir unseren Gastgebern entgegenbringen."

Skeptisch legte Holderar die Axt zur Seite. „Aber meine Messer im Stiefel darf ich behalten oder?"

„Wir wollen es mit dem Vertrauen nicht übertreiben." Gadah schnallte sich ein schmales Messer um den Unterschenkel und zog seinen Stiefel drüber.

Es klopfte und ein Diener trat ein. „Mein Herr erwartet die hohen Herren."

„Brich dir keinen ab. Wir werden kommen." Holderar fuhr sich durch seinen dichten Bart. „Meine Läuse werde ich mitnehmen können oder? Sie lieben meinen Bart und verlassen ihn nur im Notfall."

Angewidert verzog der Diener das Gesicht.

„Wir folgen dir. Gehe vor." Gadah deutete zur Türe. Sobald der Diener sich umgedreht hatte, boxte er den Zwerg auf die Schulter und schüttelte den Kopf.

Die Botschafterin war eine attraktive Frau. Stolz und erhobenen Hauptes stand sie neben einem dicklichen Mann in den mittleren Jahren. Große Ringe schmückten seine Finger.

„Ich heiße euch willkommen.", begrüßte er seine Gäste und deutete eine Verbeugung an.

„Wir danken dir", bedankte sich Gadah. „Mein Name ist Kriegskonsul Gadah und dies ist der ehrenwerte Zwergenkrieger und stellvertretender Rottenführer Holderar."

Die Rothaarige trat vor und faltete die Hände vor ihrem Leib. „Mein Name ist Atriba Feuersturm, erste Botschafterin. Ich habe dir den Brief geschickt."

Norderstedts klatschte in die Hände und rief die Diener herbei. „Ich schlage vor, wir nehmen ein Frühstück ein und reden dann in aller Ruhe über unsere Angelegenheiten."

„Das nenne ich eine gute Idee, ich könnte alleine eine ganze Kuh fressen, samt Euter." Dunkel lachte der Zwerg und rieb sich den Bauch.

Langsam verstand Gadah, warum Milana den Zwerg für ungehobelt hielt.

Während des Frühstücks bekräftigte die Botschafterin ihr Angebot. Die Legion könne damit rechnen, mit offenen Armen von der Königin aufgenommen zu werden. Mit dem neuen Bündnis ist verbunden, die Nekropole zu erobern und von den Nekromanten samt ihren Untoten zu säubern. Sie erzählte ihm die Geschichte der ehemaligen Metropole und von den magischen Fallen, die auf jeden Eindringling warteten.

Gadah hatte sich inzwischen eine Pfeife angezündet und schmauchte den Tabak. Nachdem die Botschafterin ihren Vortrag beendet hatte, ergriff Gadah das Wort.

„Alles schön und gut, aber wir brauchen einen Führer, der sich in der Nekropole auskennt, sonst stolpern meine Männer blind durch die Straßen und Gassen."

„Das Problem können wir lösen. Von Norderstedt kennt die Pläne der Nekropole sehr gut."

„Was ist mit den beiden Boten, die ihr mir geschickt habt?"

Atriba und Norderstedt wechselten einen kurzen Seitenblick.

„Sie kennen die Nekropole nur zum Teil", gestand Norderstedt zu.

„Besser als nichts. Ich will sie auch dabei haben."
„Das könnte sich etwas schwierig gestalten. Sie sind frei in ihrer Entscheidung." Atriba trank einen Schluck aus ihrer Teetasse. „Aber vielleicht können wir da etwas machen."

„Dann haben wir da noch ein Problem. Ich habe nicht genug Männer, um die ganze Stadt einzunehmen. Die Schlacht gegen das Heer der Untoten war verlustreich. Ich brauche Männer, Unteroffiziere und Offiziere. In der jetzigen Stärke kann die Legion nicht ausrücken. Allein der Versuch die Nekropole zu erobern wäre ein Himmelfahrtskommando. Und wenn mich nicht alles täuscht, steht die Hauptmacht der Untoten in der Nekropole."

„Auch darüber habe ich mir Gedanken gemacht und ich denke, dass ich da eine Lösung für anbieten kann. Unser Reich unterhält diplomatische Beziehungen mit vielen Völkern und die Zwerge wären ein starker Verbündeter." Atriba nahm noch einen Schluck Tee und ließ ihre Worte wirken.

Holderar, der bisher geschwiegen hatte, rülpste. „Welches Volk meiner Brüder hast du dir dabei ausgeguckt, erste Botschafterin?"

„Das Volk bei den Widderbergen ist uns sehr gewogen." Atriba beugte sich nach vorne.

„Gute Krieger", bestätigte Holderar. „Aber glaubst du wirklich, die Völker unter der Erde mischen sich in die Angelegenheiten der Menschen ein?"

„Ich glaube nicht, dass es eine reine Sache unter den Menschen ist, was uns bevorsteht. Du hast es selbst erlebt mit deinem Volk und kämpfst mit uns." Gadah stopfte die Pfeife nach und zündete nochmal an.

„Ja, aber ich stand in Thoms Schuld und war persönlich betroffen. Meine Leute werden es erst einsehen in den Kampf einzugreifen, wenn wir sie davon überzeugen können, dass auch sie in Gefahr sind, wenn wir diese düsteren Gesellen mit ihren wandelnden Bastarden nicht niedermachen."

Atriba ergriff ihre Chance. „Deswegen muss jemand aus ihrem eigenen Volk sie davon überzeugen."

„Ich glaube, darauf brauche ich ein Bier." Holderar kratzte sich im Bart.

Norderstedt gab dem Diener einen Wink, woraufhin dieser dezent verschwand.

„Ist das dein grandioser Plan? Du willst meine Legion auffüllen mit Zwergenkriegern?" Gadah legte die Fingerspitzen aneinander.

„Zweifelst du etwa an der Kampfkraft der Zwerge?" Norderstedt lächelte linkisch.

„Nein, aber ich zweifele daran, dass sich die Zwerge unter mein Kommando stellen."

„Damit hat der Kriegskonsul recht. Meine Zwergenbrüder sind harte und stolze Krieger und würden jeden Kampf ausfechten. Aber sich unter das Kommando eines Menschen zu stellen... eher würden sie sich den Schwanz abhaken."

Atriba senkte amüsiert den Kopf. „Danke für den anschaulichen Vergleich. Aber es wird einen Weg geben, damit ein Bündnis zustande kommt."

„Unser Zwergenkrieger ist ein Freund der direkten Worte, meine Dame", bemerkte Gadah, „Aber er wird uns eine große Hilfe sein, wenn dein Plan in die Tat umgesetzt werden soll."

Der Diener kam mit einem Krug Bier und entsetzt starrte Holderar auf dem Becher. „Ist der Notstand ausgebrochen? Sind die Biervorräte aufgebraucht?"

Norderstedt nickte dem Diener zu. „Bring unserem Gast noch einen Krug Bier."

„Einen Eimer."

„Gut, einen Eimer."

„Dein Freund scheint einen großen Durst zu haben", bemerkte Atriba.

„Hoffen wir mal, dass er nicht nachher alle Nase lang austreten muss." Norderstedt verdrehte die Augen und verschränkte die Arme.

„Keine Angst, wenn ich nicht mehr aushalten kann, piss ich einfach in den leeren Eimer."

Gadah schloss einen Moment die Augen. Das hier würde noch etwas länger dauern und er hoffte, dass die Blase des Zwerges groß genug war und sie fertig werden würden, bevor das Bier durch den Zwerg gelaufen war.

Kiridul

Fröhlich lachend liefen die Kinder um die Tafel des Hochzeitspaares und spielten ihre Spiele. Die Erwachsenen aßen und tranken an diesem Festtag der Familie. In der Mitte des Festsaales saßen Braut und Bräutigam, beide mit roten Wangen, sei es vor Freude oder dem ungewohnten Weingenuss. Die Brautleute waren beide im zarten Alter von siebzehn und sonnten sich in der Aufmerksamkeit aller Anwesenden.

Schwankend erhob sich der Brautvater, mittlerweile schon zum dritten Mal an diesem Abend, und hielt seinen Weinpokal hoch. „Das Brautpaar soll mit reichem Kindersegen gesegnet sein und ihnen soll ein langes und frohes Leben beschert sein. Das Brautpaar lebe hoch, hoch, hoch."

Die Anwesenden stimmten ein und der Dichter hob seine Leier und begann ein leises, romantisches Liedchen zu singen. Andächtig lauschten die Gäste und es legte sich eine fröhliche Stille über die Anwesenden.

Jäh zerrissen wurde das schöne Liedchen durch die aufkommenden Schreie im Dorf. Schrill und panisch kreischten die Frauen auf. Dunkle Männerstimmen schrien ihr Schmerzen hinaus.

„Was ist da los?", fragte jemand in den bedrohlich stillen Raum hinein.

Schlagartig verstummte das fröhliche Kinderlachen.

Mit einem Krachen flog die Türe auf und dunkle Gestalten drängten sich durch die Türe.

Entsetzen machte sich im Saal breit. An den Eindringlingen war nichts Menschliches, auch wenn es einst solche gewesen waren. Teilweise bewaffnet, teilweise nackt. Einige wiesen Verletzungen auf, die tödlich sein mussten. Wieder anderen fehlten Augen, Gliedmaßen. Die Haut wies Flecken auf. Sehnen und Knochen waren sichtbar. Hinter diesen Gestalten kamen andere Gestalten in den Raum. Gut gerüstet und bewaffnet, mit flüssigen Bewegungen, aber ihre Augen waren ebenso leblos, wie die der anderen Eindringlinge. Sofort fielen die Untoten über die Hochzeitsgäste her und hatten schon die ersten drei zerfleischt, bis die anderen bemerkten, was los war. Kehlen wurden aufgerissen, Bäuche aufgeschlitzt und Gliedmaße abgerissen, um das vorhandene Fleisch hungrig zu verschlingen. Blut spritzte umher und besudelte sowohl die Gäste, als auch die Untoten, die sich über ihre Opfer her machten. Diejenigen unter den Geschöpfen, die Waffen trugen, benutzten sie, um ihre Opfer zu zerlegen. Die Unbewaffneten schlugen einfach ihre Zähne in die schreienden Männer und Frauen und rissen ganze Fleischstücke aus den lebendigen Leibern.

Binnen kürzester Zeit waren die Hochzeitsgäste niedergemacht und bis auf die Knochen abgenagt. Auf den unsichtbaren Befehl des Nekromanten verließen sie die Feststätte und sammelten sich im Dorf. Überall im Dorf tummelten sich die Untoten und beendeten ihr grausiges Mahl.

Kiridul ritt mit einem Pferd durch die Menge an untoten Leibern und zügelte es vor einem jungen Nekromanten. „Deine Geschöpfe waren hungrig."

Ohne eine Erwiderung senkte der junge Nekromant den Kopf.

„Halte sie beim nächsten Mal zurück, sonst haben wir keine neuen Geschöpfe mehr."

„Ich werde mich daran halten, Herr."

„Gut so." Kiridul wendete sein Pferd und ritt wieder durch die Massen an Untoten. Sein Meister hatte ihn zur Hauptstadt entsandt, um durch die geöffneten Tore zu reiten und die Stadt einzunehmen. Der König würde ihnen willig Einlass gewähren, und so die neuen Herrscher im Land willkommen heißen. Hinzu kommt, dass es in der Hauptstadt nur so von Menschen wimmelte, die man für ihre Sache gewinnen konnte. Freiwillig oder unfreiwillig.

Thom

„Willst du wirklich schon aufstehen? Etwas Ruhe würde dir mit Sicherheit noch gut tun." Isela stand neben Thoms Bett und sah besorgt drein.

„Ja, ich möchte an dir frische Luft und die Sonne spüren und das kann ich nicht, wenn ich hier wie ein Maikäfer auf dem Rücken liege und die Holzdecke des Lazaretts anstarre. Also bring mir bitte meine Sachen."

Ohne ein weiteres Wort zu verlieren, bückte sich Isela und zog ein Bündel unter Thoms Bett hervor. „Hier sind deine Sachen. Dein schwarzes Schwert und dein Kettenhemd hat Gadah bei sich in der Unterkunft in seine Truhe geschlossen."

„Dann lass mich alleine. Ich würde mich gerne anziehen."

„Ich bleibe, vielleicht brauchst du Hilfe."

„Aber ich habe nichts an."

„Ich weiß, ich habe dich schließlich ausgezogen."

„Was?"

„Wer glaubst du denn, hat hier tagelang an deinem Bett gewacht und dich gewaschen? Im Übrigen erscheint es mir ratsam, dass du erst einmal großes Bad nimmst, bevor du in deine frischen Kleider steigst."

„Wirst du das persönlich überwachen?"

„Ich werde dir sogar den Rücken waschen."

Thom musste zugeben, dass ihm das Bad wirklich guttat. Das warme Wasser spülte den Schweiß von seinem Körper und lockerte seine verkrampften Muskeln. Isela saß hinter ihm auf einem Schemel und wusch ihm mit der Hand und einem Stück Seife den Rücken.

„Gadah hat mir erzählt, was dir und deiner Familie widerfahren ist."

Thom schloss die Augen. „Dann weißt du auch, was während der Reise passiert ist und das mit Lydia?"

„Ja, auch das hat mir Gadah erzählt. Eine traurige Geschichte. Ich möchte dir sagen, dass ich für dich da sein werde, wenn du es willst."

„Danke Isela, aber du bist mir zu nichts verpflichtet."

„Ich sage das, nicht weil ich mich für irgendwas verpflichtet fühle, sondern weil ich für dich da sein will. Du bist manchmal so unbarmherzig und manchmal so verdammt sensibel."

„Das mit dem Mann über dem Feuer hat dir nicht gefallen, oder?"

„Es war widerlich. Dich so zu sehen, die Freude in deinen Augen, als er vor Schmerzen schrie. Ich habe dich in diesem Moment gehasst. Aber als Gadah mir erzählt hat, was diese Männer dir angetan haben, da konnte ich dich zumindest verstehen."

„Das heißt, du findest es richtig?"

„Dass du Rache nehmen willst? Auf der einen Seite ja, aber auf der anderen ist es ein hoffnungsloses Unterfangen. Du wirst sie nicht alle töten können. Irgendwann wird einer besser sein als du, ein Pfeil schneller sein, als du. Jemand wird dich von hinten angreifen, wenn du nicht damit rechnest. Ist das dein Ziel? So lange weitermachen, bis du nicht mehr kannst oder du getötet wirst?"

„Du klingst schon wie Milana."

„Weich mir nicht aus!"

„Ich will ehrlich zu dir sein, da du es auch zu mir warst. Vor ein paar Tagen wollte ich nur blinde Rache für den Tod meiner Familie, Lydia und unser ungeborenes Kind. Aber als ich weggetreten war, ist etwas passiert. Ich war an einem Ort, wo auch sie waren und jetzt weiß ich, dass es ihnen gut geht und wir uns irgendwann wiedersehen werden."

„Ein Leben nach dem Tod?"

„Ein Leben im Tod. Ich weiß jetzt, dass sie auf mich warten und ich zu ihnen gelange, wenn ich einmal sterben werde."

„Das klingt so unglaublich traurig. Willst du denn sterben?"

„Jeder stirbt irgendwann einmal, Isela."

„Du hast meine Frage nicht beantwortet."

Thom dachte an die Worte seiner Mutter. „Kehre an die Oberwelt zurück und lebe dein Leben", hatte sie gesagt. „Nicht, wenn es sich vermeiden lässt." Er dachte an Khulat und an seine Mission. „Aber wenn es für den Sieg sein muss, bin ich bereit, mein Leben zu geben."

„Gesprochen wie ein wahrer Held", sagte Isela verächtlich. „Ihr Männer denkt, dass eine Frau euch nur liebt, wenn ihr tapfer seid und bereit, euer Leben zu opfern. Aber ich will dir mal was sagen. Frauen wollen lebendige Männer an ihrer Seite. Sie wollen ihre Kinder zusammen aufwachsen sehen und zusammen alt werden. Und wenn ihr Männer nicht immer so verdammt aufs Sterben versessen wärt, würde es erheblich mehr glückliche Frauen geben, weil ihre Ehemänner und Söhne nicht in einem Krieg dahingerafft wurden." Wütend stand sie auf und warf Thom die Seife in die Holzwanne und rauschte heraus.

„Autsch!" Hunerik kam herein und unterdrückte ein Husten. „Ihr jungen Leute habt Temperament. Wenn du mich fragst, solltest du ihr nach und sie flach legen, dann habt ihr es hinter euch."

„Danke für den Rat, Hunerik." Thom lächelte schief und fischte die Seife aus dem Wasser und rieb sich die Arme ein. „Heute fühlt sich jeder berufen, mir Ratschläge zu geben."

„Wahrscheinlich, weil du sie nötig hast."

Ergeben sank Thom ins Wasser und spülte sich die Reste der Seife aus dem Haar und vom Körper.

„Komm raus und trockne dich ab. Dann reden wir über das, was du verpasst hast." Hunerik bewegte sich nicht.

„Willst du mir dabei zusehen?"

„Gönn einem alten Mann doch auch ein paar Freuden." Der Schänder lächelte schief und zog den Schemel heran, um sich hinzusetzen.

„Ach was solls." Thom stieg auf und griff nach dem Handtuch.

Atriba

„Wie viele dieser Flaschen befinden sich in deinen Satteltaschen?"

„Noch genug, um mir die Reise bis zu den Widderbergen zu versüßen, erste Botschafterin." Holderar entkorkte die nächste Flasche und nahm einen großen Schluck. „Dieser Norderstedt besitzt einen verdammt guten Vorrat an Schnaps in seinem Keller. Ich werde ihn nochmal besuchen müssen, und mich durchprobieren."

„Du meinst, du wirst ihn leer trinken."

Holderar war mit der Botschafterin im frühen Morgengrauen aufgebrochen, um den Zwergenclan unter den Widderbergen aufzusuchen. Als Botschafterin ihres Reiches kannte Atriba den Weg genau und wusste, dass der Clanführer Goldfuß ein schwieriger Zeitgenosse war. Diese Eigenschaft traf allerdings auf die meisten Zwerge zu. Ihr momentaner Begleiter schien auch ein solches Exemplar zu sein. Versoffen und ungehobelt.

Am Nachmittag kamen sie an die ersten Ausläufer der Widderberge an. Von hier aus würde es noch zwei Tage dauern, bis sie ihr Ziel erreichen würden.

„Irgendwas stimmt hier nicht." Holderar stieg von seinem Pferd ab und ließ sich auf die Füße fallen. „Wie meinst du das?" Atriba sah sich um, konnte aber nichts Verdächtiges erkennen.

„Mein Instinkt warnt mich. Merkst du nichts?"

Es war kühler geworden, seit sie die Ausläufer der Berge erreicht hatten, aber ansonsten konnte Atriba nicht nachvollziehen, was der Zwerg meinte. „Du hast wahrscheinlich zuviel Schnaps intus und siehst nun weiße Mäuse."

„Botschafterin, ich trinke nur die Menge, wie ich vertrage. Steig besser ab, ich glaube, es erwartet uns ein Hinterhalt."

Atriba muste zugeben, dass sie vom Leben in der Natur nicht viel verstand. Die meiste Zeit ihres Lebens hatte sie in Städten und geschlossenen Räumen verbracht. Nur gelegentliche Ausritte waren ihre Berührungen mit der Natur. Widerstrebend stieg sie aus dem Sattel und ging in die Hocke. Ihr Kleid hatte sie gegen Männerreithosen aus Leder getauscht.

Ein langer grüner Mantel, der ihre roten Haare betonte reichte ihr bis zu den Knöcheln.

„Siehst du das hier?" Holderar deutete auf Kratzer im Stein. „Das sind Spuren von Metall. Also entweder nagelbeschlagene Stiefel oder Hufeisen. Hufeisen bedeutet Pferde und Pferde bedeutet Menschen."

„Kannst du so gut Spuren lesen?"

„Nein, aber Felsen und Stein sind mein Element. Lass uns vorsichtig weitergehen. Ich gehe voraus." Holderar lockerte seine Axt und setzte sich wieder in Bewegung.

Atriba schaute nervös in die Runde und konnte, außer dem Atmen der Pferde nichts hören. Etwas beruhigter folgte sie Holderar, der die Gegend weiter im Auge behielt.

Plötzlich hob er seine Faust und veranlasste sie stehenzubleiben.

„Was ist los?", fragte sie.

„Ich habe etwas gehört. Wir lassen die Pferde hier, damit sie uns nicht verraten."

Sie banden die Pferde abseits des Pfades an ein dürres Gestrüpp und schlichen voran, den Pfad entlang. Dann hörte auch Atriba es. Ein dünnes Schreien. „Jetzt höre ich es auch. Da schreit jemand."

Holderar nickte knapp. „Hab ich doch gesagt. Auf das Gehör eines Zwerges kann man sich verlassen."

Dunkle Männerstimmen klangen zu ihnen herüber. „Also, rede jetzt endlich. Wo ist der Eingang zu den Goldminen?"

„Ich verrate nichts, und wenn ihr mich totschlagt."

„Das kannst du gerne haben", sagte eine andere Stimme. Kurz darauf klatschte es ein paar Mal und eine Folge dumpfer Schläge war zu hören. Ein Stöhnen erklang und dann fiel ein Körper zu Boden.

„Ist er tot?", fragte die erste Stimme.

„Nein, nur ohnmächtig. Lassen wir ihn sich ein wenig erholen, bevor wir ihn wecken."

Holderar schlich weiter und linste durch die Büsche. Drei Männer standen um einen reglosen Körper, der am Boden lag. Ein Zwerg! Der Malträtierte war ein Zwerg. Holderar knirschte mit den Zähnen. „Das werden die Burschen bereuen."

„Wir werden uns da schön raushalten, wir müssen den Clan erreichen, das ist unser Ziel."

„Du kennst den Weg Botschafterin. Wenn du es so eilig hast, dann zieh alleine weiter. Ich werde keinen Zwergenbruder in den Händen dieser Diebe lassen."

Atriba atmete tief durch. Sie konnte den Zwerg verstehen. „Was willst du tun?"

„Ich geh raus und massakriere sie."

„Lass mich lieber rausgehen, das ist ungefährlicher für dich. Ich will dich am Leben erhalten."

„Willst du mich beleidigen? Mit den drei Hampelmännern werde ich noch fertig, wenn du mir beide Arme auf den Rücken bindest."

„Keine Widerrede, ich gehe da raus und erledige das."

„Willst du ein Messer oder so etwas?"

„Damit kann ich nicht umgehen."

„Willst du etwa unbewaffnet da rausgehen?"

„Ich bin nicht unbewaffnet. Vertrau mir." Atriba erhob sich und ging durch das Gebüsch. „Werte Herren, ich glaube, euer Gast möchte nicht mit euch reden."

Die drei Männer schauten sich überrascht um, fingen sich aber schnell wieder. „Wen haben wir denn da?" Der mittlere Mann verlagerte sein Gewicht von einem Bein aufs andere und spähte in die Büsche hinter Atriba, entdeckte aber niemanden. „Bist du alleine?"

Die Botschafterin breitete die Hände aus. „Ich bin mutterseelenallein, also keine Angst vor mir, meine Herren."

Boshaft lachte der Mann auf. „Frau, wenn hier einer Angst haben müsste, dann bist du es. Ich lasse dir aber noch die Wahl, wen du von uns als Erstes bedienen willst."

„Gerne. Wie wäre es mit dir?" Atribas Hand schoss vor, Zeigefinger und Ringfinger aneinandergelegt. Ein blauer Blitz zuckte vor und traf den Anführer mitten zwischen die Augen.

Der Getroffene verdrehte die Augen und brach zusammen.

„Eine Magierin!", schrie einer der verbliebenen Männer.

„Ich ergebe mich!", rief der Linke und hob die Hände hoch.

„Zu spät!", rief Holderar und warf seine Axt. Schwer fuhr das Blatt ins Gesicht des Mannes und ließ den Schädel platzen.

Der dritte Mann, der jetzt wusste, dass es kein Entkommen gab, wollte sein Schwert ziehen, bekam es aber vor Aufregung nicht heraus.

„Lass es und du bleibst am Leben", zischte Atriba.

Der Mann verharrte und ging auf die Knie. „Gnade!", wimmerte er.

„Gewährt!", sagte Atriba und gab Holderar ein Zeichen, sich zurückzuhalten.

Mit erhobenem Messer blieb er stehen und lauerte. „Wer waren deine beiden Gefährten?"

Nervös leckte sich der Mann über die Lippen. „Es waren meine Brüder."

„Botschafterin, ich halte es für unklug, ihn laufen zu lassen. Er wird uns verfolgen und nachts die Kehle durchschneiden."

„Nein, das werde ich nicht tun, ich schwöre es."

„Holderar, ich habe gesagt, es ist Gnade gewährt. Er bleibt am Leben."

„Auf deine Verantwortung, aber ich werde Maßnahmen treffen, dass ich ruhig schlafen kann." Holderar ging an der

Botschafterin vorbei und stellte sich hinter den knienden Mann und trat ihm ins Kreuz.

Wimmernd lag der Mann auf dem Bauch und wand sich unter dem harten Griff des Zwergenkriegers, der ein Bein festhielt.

„Was soll das? Ich habe gesagt, es ist Gnade gewährt!", donnerte die Botschafterin.

„Ja, ich werde ihn auch nicht töten." Holderar beugte sich herab und schnitt mit einer schnellen Bewegung seines Messers die Sehnen und Bänder in der linken Kniekehle durch.

Der Mann schrie, halb wahnsinnig vor Angst und hielt sich die blutende Kniekehle.

„So, jetzt wirst du uns nicht folgen können. Kriech zurück in deine Höhle."

Wütend starrte Atriba ihn an.

„Du bist zu weich, Botschafterin. Ich will mich nicht mitten in der Nacht mit Stahl an der Kehle geweckt werden."

Der am Boden liegende Zwerg stöhnte auf.

„Wir sollten uns lieber um meinen Zwergenbruder kümmern, nicht um dieses Stück Scheiße."


Thom


Im Stall suchte er sich einen bequemen Sattel und warf ihn auf den Rücken des Pferdes, welches gefällig schnaubte. Schwert und Kettenhemd lagen noch in seiner Unterkunft.

„Wo willst du hin?"

Unmerklich zuckte Thom zusammen. Er war so in seinen Gedanken vertieft gewesen, dass er Isela nicht hatte kommen hören. „Bin ich dir Rechenschaft schuldig?" Seine Frage hörte sich giftiger an, als er sie formulieren wollte und er biss sich direkt auf die Lippen.

„Ich will mit dir kommen."

„Auf keinen Fall. Da wo ich hingehe, muss ich alleine hin."
Er zurrte den Sattelgurt fest und wandte sich um. Isela stand
mit traurigen Augen vor ihm und versuchte sich die Tränen zu
verkneifen. Er streckte die Arme aus und fasste sie an die
Schultern. „Selbst ich weiß nicht, ob ich lebendig wiederkommen werde und ich kann nicht auch noch auf dich aufpassen."

„Ich kann alleine auf mich aufpassen, Thom. Ich will dir
eine Gefährtin sein und dich überall hin begleiten."

„Da wo ich hingehe, kannst du nicht auf dich aufpassen.
Mein Schwert und dein Bogen wären dort nur ein Tropfen auf
den heißen Stein."

„Was hast du vor? Das klingt ja furchtbar."

Ohne ein weiteres Wort zu verlieren, beugte sich Thom zu
ihr herab und küsste sie. Willig schmiegte sie sich an ihn und
genoss seine Wärme. Als sie sich wieder lösten, waren ihre Ohren rot und sie atmete schwer.

„Was wird werden?", flüsterte Isela.

„Wenn ich überlebe, nehme ich dich zur Frau."

„Das ist ein Versprechen?"

„Ja."

Sie küssten sich abermals und lösten sich erst wieder nach
einer ganzen Weile.

„Jetzt geh", bat Thom, „Ich muss noch ein paar Vorbereitungen treffen. Bevor ich losreite, sehen wir uns."

Sie lächelte und entfernte sich. Als sie außer Sicht war,
schlug Thom vor Wut gegen die Stallwand.

„Was kann denn da der arme Stall für?"

„Hunerik! Wo kommst du denn her?"

Der riesige Mann zuckte mit den Schultern. „Ich kam so zufällig vorbei und hörte euer Gespräch." Er hustete rasselnd.
„Wirst du sie wirklich heiraten?"

„Wenn ich überlebe, stehe ich zu meinem Wort."

„Wo willst du hin? Warum wartest du nicht, bis Gadah wieder da ist?"

„Weil er versuchen würde es mir auszureden. Und sei mir nicht böse, wenn ich dir nicht verrate, wo ich hingehe. Ich will nicht, dass mir irgendjemand folgt."

„Das klingt so, als ob du eine Riesendummheit vorhast."

„Kann schon sein. Aber das weiß ich erst hinterher."

Thom bückte sich und hob seine Satteltaschen auf. „Sag Gadah bitte, dass ich ihm für alles danke und ... Sag ihm nur, dass ich ihm danke."

„Gadah wird mich vierteilen, wenn ich dich so gehen lasse."

„Sag ihm einfach, ich habe dich niedergeschlagen." Thom lachte und streckte die Hand aus. „Es war mir eine Ehre, dich kennenzulernen, Hunerik."

Ohne Zögern ergriff der Schänder die dargebotene Hand. Im Kriegergruß umfassten sie gegenseitig die Handgelenke und sahen sich in die Augen.

„Auf Wiedersehen. Ich würde es bedauern, von deinem Tod hören zu müssen."

Thom löste sich von dem Griff Huneriks und nahm sein Pferd am Zügel. „Pass auf Gadah auf, Schänder. Er hat es verdient mit Milana Frieden zu finden und glücklich zu werden."

Sie gingen gemeinsam raus und wurden von Isela erwartet. „Ist            es            jetzt            soweit?" „Ja, wir müssen uns verabschieden. Ich sage dir Lebewohl Isela." Er zog sie an sich und drückte sie lange.

Als er schließlich in den knarzenden Sattel stieg, standen Tränen in ihren Augen. Hunerik nahm sie in den Arm, um sie zu trösten. „Machts gut!" Thom wendete sein Pferd und ritt in Richtung des Tors. Alles an ihm war schwarz. Sein Kettenhemd, sein Schwert und sein Pferd. Nur seine blonden Haare wehten leicht im sanften Wind. Aus der Ferne sah Milana ihm hinterher, bis er über eine Hügelkuppe verschwunden war. Zum Abschied hob sie ihre Hand, aber Thom konnte sie nicht sehen.

Holderar

Der junge Zwerg war, wie er schon vermutet hatte, vom Volk unter den Widderbergen und hieß Zoldar.

„Danke für eure Hilfe."

Holderar winkte ab. „Nicht dafür. Wir konnten schlecht vorbeimarschieren und dabei zuschauen, wie du getötet wurdest. Was wollten die Kerle von dir?"

„Sie wollten wissen, wo sich der Eingang in unsere Goldminen befindet."

„Und? Hast du es ihnen verraten?"

„Natürlich nicht", entrüstete sich der junge Zwerg.

Sie hatten ein kleines Lager unweit der Stelle aufgeschlagen, an der sie auf die Gruppe gestoßen waren. Ihm war immer noch nicht wohl bei dem Gedanken, den letzten Kerl am Leben gelassen zu haben, aber die Botschafterin hatte sich ja nicht erweichen lassen ihre Gnade zurückzunehmen. Törichtes Weibsvolk!

Die Botschafterin kam mit dazu.

„Ich kenne dich", sagte Zoldar. „Du warst mit einer Delegation bei uns."

„Richtig", bestätigte Atriba. „Wir wollten damals die Handelsbeziehungen verbessern und ich war mit einer Delegation bei deinem Clan, das müsste ungefähr fünf Jahre her sein."

„Was führt euch in diese Gegend? Es ist lange her, dass ich friedfertige Besucher gesehen habe."

Holderar ergriff das Wort. „Wir wollen mit Goldfuß sprechen. Es gibt mächtigen Ärger in der Welt und die Zwerge werden gebraucht, um gewissen Leuten in den Arsch zu treten."

„Oh, da werdet ihr bei Goldfuß nicht viel Glück haben. Die Menschen sind ihm zuwider und er pflegt die Handelsbeziehungen mit ihnen nur, weil sie ihm Gewinn einbringen."

Holderar fluchte innerlich. Er hätte es sich denken können. Goldfuß hatte sich noch nie um die Dinge anderer gekümmert.

„Wir müssen es trotzdem versuchen. Es ist nicht eine reine Sache der Menschen. Diesmal nicht."

„Na gut, ich werde euch mit unter den Widderberg nehmen, damit ihr euer Anliegen dort vorbringen könnt. Vielleicht schenkt Goldfuß euch Gehör."

„Ich danke dir."

„Ich danke dir auch", fügte Atriba Feuersturm hinzu.

„Sag mir, gibt es irgendwelche Nachrichten aus unserem Reich?", fragte Holderar.

Der junge Zwerg senkte den Kopf. „Die Königin ist tot und Rhunar-Minar ist gefallen. Ein paar Vorposten sind ebenfalls gefallen. Und die Leichen, die wir gefunden haben, waren alle verunstaltet."

„Das weiß ich. Ich habe das Ausmaß gesehen, als ich mit der Rotte von einer Mission zurückkehrte. Und was machen die Clanführer?"

„Sie streiten. Sie können sich nicht auf einen Nachfolger einigen. Nach dem Tod der Königin wäre diesmal ein König zu wählen."

„Und alle wollen sie zum Nachfolger der Königin gewählt werden?"

„Natürlich. Jeder will seinen Clan nach vorne bringen und die Vormachtstellung festigen. Goldfuß ist ganz vorne dabei, wenn es darum geht, seine Rechte als Nachfolge vorzubringen. Sein ärgster Konkurrent ist der Clanführer Diamantauge. Wo sie können, beharken sie sich und und versuchen die anderen

Clanführer zu überzeugen. Zur Zeit sind beide Lager gleich stark."

„Das hört sich nicht gut an. Es könnte zu einem Krieg unter den Clans kommen, wenn sie sich nicht einigen." Holderar legte den Kopf schief. „Was hast du eigentlich hier draußen zu suchen?"

„Ich habe eine Dummheit gemacht. Ich war neugierig auf die Welt jenseits der Berge und so bin ich nach meiner Schicht in der Goldmine nach draußen, um mir eine Trophäe zu holen und mich vor meinen Freunden zu beweisen."

„Ja, das war wirklich eine Dummheit. Zwerge gehören in Minen und unter einen Berg, aber sie schweben nicht über grüne Wiesen und schleichen nicht durch den Wald wie ein Eichhörnchen."

Zoldar nickte, hielt dann aber inne. „Und was ist mit dir?"

„Ich habe meine Gründe." Holderar erhob sich und sah sich um. „Wir sollten langsam aufbrechen, dann schaffen wir es noch, bis zur Dunkelheit zum Berg."

Nach Einbruch der Dunkelheit standen sie mit ihren Pferden vor einem großen bronzenen Portal. Zoldar klopfte an einer kleinen Luke und kurz darauf erschien ein runzeliges, haariges Gesicht. „Wen bringst du uns da mit, du Frischling? Den hässlichen Kerl auf dem Gaul kenne ich nicht, geschweige denn die rothaarige Menschenfrau."

„Wer ist hier ein hässlicher Kerl, du Grubenteufel? Mach das Portal auf und ich zeige dir mein hässliches Gesicht aus der Nähe. Ich bringe die erste Botschafterin des Reiches Rhadiala." Holderar spuckte aus und rutschte vom Pferd.

Die kleine Klappe knallte zu und mehrere Riegel wurden zur Seite geschoben. Atriba stieg ebenfalls vom Pferd ab. Das Portal schwang auf und vier schwerbewaffnete Zwergenkrieger und Rüstungen empfingen sie.

„Die Waffen müsst ihr abgeben. Wir werden euch zum Wachhabenden eskortieren."

Ohne Widerspruch gehorchte Holderar.

Die Botschafterin hob die Hände. „Ich trage keine Waffen."

„Davon müssen wir uns überzeugen."

„Finger weg, sie ist Diplomatin. Ich bürge für sie."

„Wer bist du überhaupt?"

„Er hat mir das Leben gerettet", warf Zoldar ein.

„Halt den Mund, Kleiner. Du hast dich mit deinem kleinen Ausflug selbst in Gefahr gebracht, du hast dich damit nicht empfohlen, hier für irgendwen zu sprechen."

Zoldar zog den Kopf ein und schwieg.

„Also, wer bist du, fremder Zwergenbruder?" Der schwer gerüstete Zwergenwächter verschränkte die Arme vor der Brust.

„Ich bin Holderar, stellvertretender Rottenführer von Rudar-Minar." Holderar fixierte den Wächter und wartet auf eine Reaktion.

„Dann bist du Pildars Bruder."

„So ist es. Er ist auf einer Mission gestorben, wie der Rest der Rotte."

„Du bist der einzige Überlebende?"

„Ja, die Königin ist auch gestorben."

„Wir haben davon gehört. Ich denke, du wirst einige Rätsel auflösen können."

„Ich werde mich bemühen."

„Dann folgt mir."

Holderar nickte Atriba zu und reichte Zoldar zum Abschied die Hand. „Mach es gut und pass auf dich auf. Keine Ausflüge mehr."

„Bestimmt nicht", antwortete Zoldar.

„Kommt jetzt, wir wollen uns beeilen." Der Wächter war ungeduldig.

„Wir kommen."

Gadah

Seine Ankunft war genauso unspektakulär wie seine Abreise und die meisten Legionäre hatten seine Abwesenheit noch nicht einmal bemerkt. Mit einem Nicken an die Lagerwachen begrüßte er die Legionäre am Tor und stieg vom Pferd ab.

„Besondere Vorkommnisse?"

Der Legionär salutierte. „Keine Vorkommnisse, Herr. Alles ist ruhig, niemand ließ sich blicken."

„Gut, abreiben", Gadah ging, in Gedanken versunken, ins Lager und übergab sein Pferd einem Legionär an den Ställen und ging zu seiner Unterkunft.

Hunerik erwartete ihn dort bereits. Mit übereinandergeschlagenen Beinen saß er an Gadahs Schreibtisch und hielt einen Becher mit Schnaps in der Hand. „Da ist ja der Rumtreiber. Ich hoffe, dass dein Ausflug erfolgreich war."

Müde schnallte Gadah seinen Schwertgurt ab und legte seine Waffe auf den Boden. „Eine schöne Begrüßung ist das."

Hunerik hielt die Schnapsflasche hoch. „Willst du auch einen Becher?"

„Einen extra Großen." Gadah sank auf seine Pritsche und gähnte.

Hunerik wusste, dass er abwarten musste, bis sein Freund seine Gedanken gesammelt hatte und erzählen konnte, was passiert war.

„Sie wollen, dass wir die Nekropole einnehmen, wie schon die Boten gesagt haben."

„Und was ist mit den fehlenden Männern?"

„Dafür hatte die Botschafterin eine Idee." Hunerik machte ein fragendes Gesicht.

„Sie wollen unsere Reihen mit Zwergen auffüllen."

„Bei den Göttern!" Hunerik leerte seinen Becher Schnaps in einem Zug und räusperte sich, um den Husten zu unterdrücken. „Mir reicht ja schon einer dieser kleinen haarigen Mistkerle, aber eine ganze Armee davon, das übersteigt meine Kräfte."

„Sie sind gute Krieger und zäh."

„Ja, und versoffen, verfressen und unverschämt. Aber sie sind gute Kameraden. Du kannst dir keine besseren Kämpfer wünschen. Mit den Männern der Legion werden sie eine kampfkräftige Einheit werden."

„Dessen bin ich mir bewusst. Ich hoffe nur, sie werden wissen wer der Feind ist und sich nicht mit unseren Männern herumschlagen. Ich muss mit Thom reden, er hat schon einmal mit ihnen gekämpft und wird vielleicht besser wissen, wie man sie anfasst."

Hunerik schenkte sich nach und hustete kurz. „Das wird schwierig werden. Thom ist weggeritten."

Gadah hob den Kopf. „Wohin?"

„Das hat er nicht gesagt. Aber er wollte, dass ich dir in seinem Namen für alles danke."

„Das klingt so, als ob er vor hat Dummheiten zu machen. Wenn ich hier gewesen wäre, hätte ich ihm es ausgeredet."

„Das wusste er. Er ist wie ein Sohn für dich, oder?"

Grimmig schaute Gadah zu Boden und nickte. „Ich mache dir keinen Vorwurf. Thom ist frei und kann tun und lassen, was er will. Er glaubt an eine Bestimmung, die er erfüllen muss. Diesem Glauben folgt er. Wie wir auch." Er trank seinen Becher leer und erhob sich. „Ich mache noch eine Runde durchs Lager und gehe dann zu Milana."

„Mach das. Es wird dir guttun in ihrer Gegenwart zu sein. Und wenn wir diese Nekropole erobert haben, solltest du sie heiraten und dich zur Ruhe setzen."

„Darüber habe ich auch schon nachgedacht. Es wäre schön, in einem Zuhause zu wohnen, was den Namen auch verdient. Ich bin es satt herumzulaufen und für ein Reich zu kämpfen, was untergehen wird."

„Wie meinst du das?"

„Dharan wird es nicht mehr geben. So oder so nicht mehr. Wir werden ein Teil des Reiches Rhadiala werden, wenn wir siegen. Und wenn wir verlieren, ist es egal, ob ich ein Schwert führe oder nicht, dann werden wir untergehen."

„Das klingt müde und verbittert."

„Nur realistisch." Bevor er rausging, hielt er noch einmal inne. „Wie geht es dir denn, mein Freund?"

Hunerik winkte ab und deutete auf den Schnaps. „Solange ich genug von dem hier habe, geht es mir einigermaßen gut."

Gadah nickte und wandte sich zum Gehen. Als er die Türe hinter sich geschlossen hatte, spuckte der Schänder einen Blutklumpen aus.

Holderar

Er fühlte sich in dem klammen Stollen direkt heimisch und gab sich seinen Erinnerungen an seine gemeinsame Zeit mit seinem Bruder und den anderen Rottenmitgliedern hin. Einmal mussten sie eine Gruppe Diebe bis an die Grenzen ihrer Minen verfolgen und haben sie gestellt. Die Aufforderung, sich zu ergeben, hatten die Diebe in den Wind geschossen und darauf vertraut, dass ihre zahlenmäßige Überlegenheit sie vor der Rotte schützte. Aber das war ein Trugschluss gewesen. Bis auf den letzten Zwerg wurden sie niedergemacht und die Letzten, die auf den Knien um Gnade gefleht hatten, waren auch nicht verschont worden. Die Leichen waren liegen geblieben und wurden den Aasfressern überlassen, die durch die entlegenen Stollen nach Nahrung suchten.

Holderar fand sich wieder im Hier und Jetzt wieder. Nach ihrer Ankunft waren sie in einen ihrer Minenwagen gesetzt und in einem Nebenstollen zur Stadt transportiert worden. Die Botschafterin musste ihren Kopf in dem geschlossenen Wagen einziehen, damit sie sich ihn nicht stieß. Der Wagen stand auf Schienen und wurde durch eine Maschinerie in Gang gesetzt. Die Fahrt dauerte eine halbe Umrundung auf Holderars Zeitmesser und endete unsanft an einem Prellbock. Holderar, der vor sich hin gedöst hatte, wurde gegen die Botschafterin geworfen, die ihm gegenüber saß. Mit dem Gesicht an ihrem Busen murmelte er eine halbherzige Entschuldigung und drückte sich hoch.

Jemand öffnete den Wagen von außen und sah ihn mit dem Kopf voran an der Brust der Botschafterin. „Ha, ein frisch verliebtes Paar. Hat sie deine Zunge zu spüren bekommen?" Eine Gruppe Zwerge lachte dreckig, während Holderar ausstieg und missmutig die Männer musterte.

„Der Nächste, der sein Maul aufreißt, wird meine Fäuste zu spüren bekommen.", drohte er.

Das Lachen erstarb langsam und die vier Zwerge stellten sich breitbeinig vor ihn hin. „Willst du es mit uns allen aufnehmen?"

„Welches Stück Auswurf will das wissen?" Holderar ballte die Fäuste.

„Mein Name ist Dogundar. Warum willst du das wissen?"

„Damit ich weiß, auf wen ich gleich pissen werde, wenn du am Boden liegst."

„Habt ihr das gehört Leute? Unser Bruder hat ein verdammt großes Maul." Dogundar ging einen Schritt vor und spuckte auf den Boden.

„Holderar", zischte die erste Botschafterin in ihrem Rücken, „Lass gut sein!"

„Das verstehst du nicht, es geht darum, sich hier Respekt zu verschaffen."

Der Zwerg links von ihm griff als erster an und wurde von Holderars Faust aufgehalten. Erstarrt blieb er stehen, als ob er gegen eine unsichtbare Mauer gelaufen war. Er kippte um und fiel auf den Boden. Als ob die anderen darauf gewartet hatten, griffen sie gemeinsam an. Begraben unter drei Leibern stieß Holderar seine Faust vor und trat um sich. Er traf auf Fleisch, Schädel und Zähne, musste aber auch einstecken. Sein Kopf wurde von einer Faust herumgeschleudert, dass es im Genick nur so knirschte. Ein Knie landete in seinem Magen und presste ihm die Luft aus den Lungen. Er revanchierte sich mit einer Kopfnuss, die einem der Angreifer mindestens einen Zahn kostete.

„Aufhören!", brüllte eine befehlsgewohnte Stimme, aber die Kontrahenten waren zu sehr in ihrem Konflikt vertieft, als dass sie darauf regiert hätten.

„Bringt die Schwachköpfe auseinander, los!", rief die Stimme und viele Hände griffen nach den verbliebenen drei Zwergen, die noch bei Besinnung waren, und zogen sie auseinander. Mit eisernen Griffen wurde jeder Zwerg von zwei weiteren festgehalten, Holderar von dreien.

„Sofort aufhören, ihr Schwachköpfe, sonst kommt ihr allesamt ins Loch."

Langsam drang die Stimme zu Holderar durch und er hörte auf zu zappeln. Er spürte, wie sein linkes Auge zuzuschwellen begann und sein Kinn schmerzte.

Ein Zwerg mit gelbem Haar und Schultern wie ein Ochse stand vor ihm und sah auf ihn herab. „Ist das deine Art, um meine Gastfreundschaft zu buhlen?"

„Ist es die Art des Widderclans, so seine Gastfreundschaft anzubieten?" Trotzig reckte Holderar sein Kinn vor. „Wer bist du überhaupt, Goldlöckchen?"

Die Botschafterin sog scharf die Luft ein.

„Du kennst mich nicht?" Der gelbhaarige Zwerg gab den Zwergen, die Holderar festhielten, ein Zeichen, woraufhin sie ihn losließen.

Holderar sah die Faust nicht kommen, die ihn traf. Zielsicher traf Goldfuß sein Kinn und seine Beine gaben nach. Seine Welt bestand nur noch aus Sternen, als er auf den Boden geschickt wurde.

„Mein Name ist Goldfuß, ich heiße dich herzlich willkommen."

„Ich gebe zu, dass ich meinen Panzerhandschuh trug, war nicht sonderlich fair, aber anders wärst du nicht zu beruhigen gewesen." Goldfuß schob Holderar einen neuen Krug mit Zwergenbier über den Tisch und lächelte verstohlen.

„Damit sind wir aber noch nicht quitt", monierte Holderar, nahm aber den Bierkrug.

Atriba hatte mit Wasser vorliebgenommen.

„Ich will es mal kurz machen", Goldfuß stand auf und verschränkte die Hände hinter dem Rücken. „Ihr kommt zu einem denkbar ungünstigen Zeitpunkt." Er begann auf- und abzugehen, während er weiter redete. „Ich verstehe eure Bitte um Hilfe und bin auch geneigt, sie euch zu geben, aber noch ist nicht entschieden, wer die Nachfolge der Königin antritt. Bis dahin wird euch kein Clanführer die Hilfe gewähren, vor allem dann nicht, wenn er selbst Chancen hat, König zu werden."

„Damit meinst du dich", brachte es Holderar auf den Punkt.

„Ich bin nicht der einzige Kandidat. Diamantauge ist ein weiterer aussichtsreicher Kandidat. Du weißt, was das bedeutet."

„Ein Duell. Ich kenne mich in den zwergischen Bräuchen der Kronfolge aus. Wenn zwei männliche Nachfolger zur

Wahl stehen, die mit dem Königshaus verwandt sind, wird ein Duell auf Leben und Tod ausgetragen. Wenn ein männlicher und ein weiblicher Kandidat zur Nachfolge stehen, bekommt automatisch der weibliche Kandidat den Zuschlag." Atriba war schon einmal bei ihren Studien auf die Kronfolgeregelung bei den Zwergen gestoßen. Sofern es zwei männliche Verwandte sind, müssen beide auch noch einen hohen adeligen Stand haben, wie zum Beispiel Clanführer. Diamantauge und Goldfuß waren Vettern der verstorbenen Königin und somit in der Rangfolge gleichberechtigt. Verständlich, dass keiner von ihnen zurückzog.

„Ein ungerechtes System möchte ich zufügen", sagte Goldfuß, „Die Weiber sollten genauso um den Thron kämpfen müssen, wie wir Männer. Aber wir respektieren die Gesetze." Er machte eine Wendung und lief wieder in die entgegengesetzte Richtung. „Natürlich werde ich meine Ansprüche nicht aufgeben, nur um euch zu helfen. Das werdet ihr verstehen."

„Ochsenscheiße!", wütend schlug Holderar auf den Tisch. „Es steht hier mehr auf dem Spiel, als nur die Krone. Wenn wir nicht schnell handeln, werden diese Bastarde von Untoten erst die Menschen auslöschen und hinterher uns. Wir sind nicht mehr so stark wie früher. In einem Krieg können wir nur durch ein Bündnis mit den Menschen gewinnen. Wir können weder mit Magie umgehen, noch sind wir in der Lage sie zu bekämpfen. Aber mit den Menschen können wir ein für alle Mal Schluss machen mit den Nekromanten und in Sicherheit vor ihnen Leben. Und unsere Brüder und Schwestern, die ihnen bereits zum Opfer gefallen sind, wären gerächt."

„Rachegelüste, darf sich ein zukünftiger König nicht leisten." Goldfuß.

„Clanführer, wenn wir uns nicht vereinen, um die Gefahr zu bannen, wird dein Reich nicht lange Bestand haben!" Atriba fuhr auf und vernachlässigte ihren diplomatischen Tonfall, der hier bei den Zwergen unangebracht schien. Ihnen musste man Verstand in den Schädel hämmern.

Noch bevor die Botschafterin weiter fortfahren konnte, erhob Holderar die Stimme.

„Ich verlange eine Anhörung vor den Clanführern! Diese Sache ist zu wichtig, als dass sie von einem Führer alleine entschieden werden kann."

„Damit würdest du alles durcheinanderbringen. Bei der nächsten Clanversammlung soll der Nachfolger ausgerufen werden."

„Du bist so verdammt scharf darauf König zu werden, dass du nicht merkst, wie du in deiner Verblendung unser Volk in Gefahr bringst!"

Goldfuß funkelte Holderar an. „Treib es nicht zu weit. Wenn ich will, bist du nicht mehr als eine Laus, die ich unter meinem Stiefel zerquetsche."

Holderar sprang auf und stemmte sich auf den Tisch. „Die Laus kann dir in den Arsch treten, bevor du nur den Fuß hebst."

„Holderar, Goldfuß, ich bitte euch. So kommen wir nicht weiter. Ich würde einen Vorschlag machen wollen, zur Güte."

„Wie soll der aussehen?" Goldfuß ignorierte Holderar und wandte sich der Botschafterin zu, die ihre Lippen mit ihrer Zungenspitze benetzte.

„Du unterstützt uns bei der Clanversammlung, damit die Clanführer Krieger zur Verfügung zu stellen. Dafür wird das Reich Rhadiala deine Herrschaftsansprüche unterstützen, wenn wir gesiegt haben."

Goldfuß strich sich durch den Bart und dachte nach. „Welche Bedingungen stellst du?"

„Ihr erobert zusammen mit der schwarzen Legion die Nekropole, von der ich dir erzählt habe. Danach entscheidet ihr, ob ihr euch unserer Sache weiter anschließen wollt, oder ob ihr eurer Wege ziehen wollt. In jedem Fall versichere ich dir die Unterstützung meiner Königin."

„Wer hat den Oberbefehl bei diesem Feldzug?"

Holderar schluckte, denn jetzt wurde es kritisch. Ein Zwergenheer unter dem Kommando eines Menschen. Das würde Goldfuß nicht einfach so schlucken.

„Das Kommando führt Kriegskonsul Gadah. Ein fähiger Mann und harter Kämpfer. Er hat aus der Legion eine schlagkräftige Truppe geformt, die ihre erste Schlacht gegen ein weit überlegenes Heer von Untoten gewonnen hat."

Goldfuß schnaubte. „Ein Zwerg kämpft nicht unter dem Kommando eines Menschen."

„Ich kämpfte unter ihm und bin froh, einer seiner Gefolgsleute zu sein", warf Holderar ein. „Hier ist kein Platz für falschen Stolz."

„Ich verlange ein gleichberechtigtes Kommando."

„Unter normalen Umständen würde ich dir Zustimmen. Aber mehr als seine Stellvertretung kann ich dir nicht anbieten. Wen immer ihr als euren Heerführer entsendet, er wird unter dem Kriegskonsul stehen, aber über allen anderen Offizieren der Legion."

„Verdammt Weib, du machst es einem nicht einfach."

Entschuldigend hob die Botschafterin ihre Hände. „Ich bin hier um zu vermitteln und zu verhandeln. Aber das solltest du auch noch wissen. Das Heer wird nicht nur aus Kriegern bestehen, sondern es werden auch Magier in den Reihen zu finden sein."

„Welche Magier kann die Legion denn aufbieten?" Ungläubigkeit mischte sich in Goldfuß' Frage.

„Mich. Ich werde an der Seite der Legion und eurer Krieger die Nekropole erobern."

Holderar machte große Augen. Das war neu für ihn, aber er enthielt sich eines Kommentars.

„Wer garantiert mir, dass du dein Versprechen hältst und es nicht vergisst, wenn die Nekropole erobert ist? Oder gar Diamantauge das gleiche Angebot machst?"

„Wenn dir mein Wort nicht reicht, werden wir es schriftlich festhalten." Atriba sah beleidigt drein.

Goldfuß winkte ab. „Ich glaube dir. Aber wenn du dein Wort brichst, werde ich dich lehren, was es heißt, einen Zwerg ins Bockshorn zu jagen."

„Du kannst mir vertrauen."

„Gut. Dann werde ich eure Sache vor der Clanversammlung unterstützen."

„Ich danke dir" Atriba senkte den Kopf.

„Danke mir nicht zu früh. Erst einmal müssen wir diese scheiß Stadt einnehmen."

Thom

Die dunklen Mauern der Nekropole näherten sich und er fühlte sich so alleine, wie noch nie zuvor in seinem Leben. Sein Pferd hatte er am Waldrand abgesattelt und von seinem Zaumzeug befreit. Mit einem Klaps auf das Hinterteil trieb er es weg. Das Tier würde den Weg zum Lager oder in einen anderen Stall leicht finden können. Pferde besaßen einen untrüglichen Instinkt dafür, wo es ihnen gut ging.

Wie in den Beschreibungen, die man ihm vorgetragen hatte, überfiel ihn eine starke Angst, die ihm riet, so schnell wie möglich umzukehren und sichere Gefilde zu suchen. Thom spannte sich und kämpfte gegen seine Urinstinkte. Da er nicht in der Lage war, sich magisch abzuschirmen, musste er die Angst mit purem Willen niederkämpfen und in Schach halten. Vor dem gigantischen Stadttor fiel die Angst von ihm ab. Der Schatten der Stadtmauer lag über ihm und ließ ihn die Kühle spüren, die immer noch trotz des milden Frühlingswetters vorherrschte.

Knarrend öffnete sich ein Flügel des Tors einen Spalt und ein weißhaariger Mann kam heraus. „Wer bist du und was willst du", fragte der Weißhaarige ihn ohne Umschweife. An seinem Handgelenk baumelte ein Holzstab, den die Nekromanten als Waffe benutzten.

„Mein Name tut nichts zur Sache und ich will den Todesfürsten sprechen."

Der Blick des Nekromanten verdüsterte sich. „Zu welchem Zweck?"

„Das geht dich nichts an. Und jetzt bring mich zu ihm."

„Niemand hat Zutritt zur Stadt, wenn ich es nicht will. Und wenn du nicht sofort mit der Sprache raus rückst, was du willst, wirst du es bereuen."

„Gehe ich recht in der Annahme, dass der Todesfürst uns hier hören und sehen kann?"

„Ja. Mein Herr hört dich."

„Gut, dann brauchen wir dich nicht." Mindokar sprang in Thoms Hand und der Nekromant fiel unter einem gewaltigen Streich. Thom steckte seine Klinge wieder in die Scheide und stieg achtlos über blutüberströmte Leiche hinweg. „Ich komme in friedlicher Absicht und möchte mich dir und deiner Sache anschließen." Er zögerte kurz und öffnete dann die Schließe seines Schwertgurtes. Klappernd fiel die Waffe auf die Erde und Thom ging langsam weiter in die Nekropole hinein. Aus den Seitengassen kamen verunstaltete menschliche Wesen, die er nun schon so oft gesehen hatte. Alles in allem waren die Untoten hier kriegerischer. Waffen und Rüstungen glitzerten an ihnen und einige konnte man nur anhand der toten Augen von Lebenden unterscheiden.

„Folge der Hauptstraße, dann gelangst du zu mir", ertönte eine Stimme in Thoms Kopf.

Er setzte sich in Bewegung und ging hoch erhobenen Hauptes durch die Massen an Untoten, die ihn einkesselten, aber auswichen, sobald er sich ihnen näherte.

„Hab keine Angst, meine Geschöpfe werden dich nicht angreifen, wenn du dich friedlich verhältst", sagte die Stimme wieder.

Thom merkte die Bedrohung um ihn herum und versuchte sich seine Nervosität nicht anmerken zu lassen. Einige der Untoten knurrten, stießen kehlige Laute aus und er wünschte sich mehr als je zuvor seine Waffe an seine Seite. Aber er wusste, dass sie ihm bei dieser Vielzahl an Untoten nichts helfen würde.

Ein Weißhaariger trat ihm in den Weg und hob seinen Holzstab. „Den, den du am Tor getötet hast, war mein Freund", zischte er und hob seine Waffe.

„Er hat sich aufgespielt", entgegnete Thom trocken und bereute es sofort.

Der Nekromant stieß seinen Opkisa vor und berührte seine Schulter.

Ein ungeahnter Schmerz schoss durch seinen Körper und er ging in die Knie.

Ohne sein Zutun zuckte der Nekromant zusammen und entfernte sich von Thom.

„Geh weiter. Mein Diener war voreilig. Ich werde ihn später für diesen Ungehorsam bestrafen." Die Stimme klang weich und warm in Thoms Kopf.

Er knirschte mit den Zähnen und kam schwankend auf die Füße. Seine Schulter pulsierte vor Schmerz und schickte eine Schmerzwelle nach den anderen durch seinen Körper, aber er Zwang sich zum Weitergehen. Sobald er unnötige Schwäche zeigte, war damit zu rechnen, dass die umstehenden Untoten ihn in Stücke reißen würden.

„Komm zu mir. Folge nur der Hauptstraße, noch ein paar hundert Schritte und du wirst vor mir stehen."

Mühsam setzte Thom einen Fuß vor den anderen, weiter durch die toten Leiber, die sich nur widerwillig aus dem Weg schoben und ihn passieren ließen.

Schließlich stand er vor einem Gebäude, was durch die pure Anwesenheit alles in der Umgebung zu erdrücken schien.

„Tritt ein!", befahl die Stimme des Todesfürsten und es öffnete sich das dunkle Portal.

Thom fasste seinen Mut zusammen und trat über die Schwelle. Er wusste nicht, was ihn erwartete, aber er wusste, dass es nichts Gutes war.

Die Stadtwache

Der Centurio am Stadttor der Hauptstadt schaute gespannt in die Ferne, um die angekündigten Neuankömmlinge nicht zu verpassen. Der Königsbefehl, den er durch seinen Tribun erteilt bekommen hatte, war denkbar einfach. *Öffnet die Stadttore und heißt unsere Freunde willkommen.* Die Stadtwache, die ihm unterstand, war in ihrer besten Paradeuniform gekleidet und stand zackig auf der Mauerkrone der Stadtmauer.

„Ich sehe sie", verkündete ein junger Optio mit Pockennarben im Gesicht.

Der Centurio schaute in die vom Optio angedeutete Richtung und sag einen Tross aus Leibern, der sich langsam in ihre Richtung schob. Einige der Ankömmlinge ritten auf Pferden, die Meisten waren zu Fuß unterwegs. Nach und nach kam der Tross in Sichtweite und der Centurio erkannte, vereinzelte Körper. Eine Gruppe Weißhaariger ritt an der Spitze, die ihnen folgenden Soldaten waren ein Anblick, der ihm den Schrecken in die Glieder jagte. „Hol den Tribun!", befahl er dem nächsten Legionär.

„Herr?", staunte der Mann, der ebenso fasziniert wie angeekelt auf den Tross starrte.

„Du sollst den Tribun holen, beeil dich. Er muss sofort hier herkommen."

„Zu Befehl." Flüchtig salutierte der Legionär und nahm die Beine in die Hand, um den Tribun zu suchen.

Der Optio näherte sich ihm. „Herr, glaubst du, dass das seine Richtigkeit hat und wir diese Gestalten willkommen heißen sollen?"

„Ich hoffe, der Tribun hat keinen Fehler gemacht. Ich kann es mir nicht vorstellen. Hol zur Sicherheit die anderen Männer der Stadtwache und lass sie Aufstellung beziehen."

„Zu Befehl." Mit betonter Lässigkeit, um die anderen Legionäre nicht noch mehr zu verunsichern, entfernte sich der Optio und ging zu den Unterkünften um die Stadtwache aus der Bereitschaft zu holen. Aus der Ferne hörte der Centurio seine bellenden Befehle.

Währenddessen kam die Schlange aus Leibern näher. Der Centurio überschlug die Zahl der Ankömmlinge und kam auf eine Zahl jenseits der zwanzigtausend Mann. „Schließt die Tore!", befahl er kurzentschlossen.

„Die Tore bleiben offen!", widersprach eine Stimme hinter ihm. Der Tribun war eingetroffen und schnallte sich seinen Schwertgurt um. „Wir haben den Befehl, unsere Gäste gebührend zu empfangen und diesem Befehl werden wir Folge leisten."

Der Centurio biss sich auf die Zunge, um eine spitze Erwiderung herunterzuschlucken. Jeder in der Stadtwache wusste, dass der Tribun sich gerne bei den hohen Herren anbiederte und ihnen niemals widersprach. „Herr, schau dir die Gäste doch einmal an. Sie sehen aus wie wandelnde Leichen."

Der Tribun zog die Stirn kraus und schaute auf das, sich nähernde Heer. „Ich verstehe deine Besorgnis, aber wir werden

den Befehl ausführen. Unser König wird wissen, wer da kommt."

Der Optio rannte die Treppe herauf und salutierte vor den Offizieren. „Herr, alle Männer der Stadtwache sind auf den Beinen und beziehen Stellung."

„Was hat das zu bedeuten, Optio?", fuhr der Tribun ihn an.

„Der Centurio hat befohlen, die Männer der Stadtwache sollen Aufstellung nehmen."

Wütend schnaubte der ranghöhere Tribun und fuhr den Centurio an. „Wie kommst du dazu, einen solch eigenmächtigen Befehl zu geben?"

„In Anbetracht des außergewöhnlichen Aussehens der Gäste fand ich es ratsam Maßnahmen zur Sicherheit zu treffen."

„Darüber werden wir später sprechen."

„Optio, lass die Männer wieder in ihre Unterkünfte zurückkehren. Sofern der Centurio..." Was auch immer der Tribun hatte sagen wollen, es ging im Schrei des Mannes unter, der den Untoten zuerst zum Opfer fiel.

„Was...", fluchte der Tribun und sah, dass die Untoten durch das Stadttor gekommen waren und seine Leute angriffen. Perplex blieb er stehen und regte sich vor Verwunderung nicht.

Der Centurio ergriff die Initiative. „Los, schlag Alarm und bereit machen zur Verteidigung."

Waffengeklirr erklang und erfüllte den Bereich um das Tor. Der Centurio stürze mit gezogener Klinge die Treppe hinab und geriet in einen Wust aus Leibern. Er spürte, wie Zähne in sein Fleisch geschlagen wurden und ganze Stücke daraus lösten. Er begann zu schreien und versuchte sich Luft zu verschaffen, aber die Leiber standen zu eng. Durch die Enge wurde ihm die Luft aus den Lungen gepresst und er verlor sein Schwert. Der Druck wurde immer höher und er musste in die Knie. Wieder spürte er Zähne, diesmal am Bein. Er schrie abermals und fühlte, wie er kurz davor war die Besinnung zu verlieren. Der Versuch, sich noch einmal aufzubäumen, misslang und er wurde unter einem weiteren Körper begraben. Der Centurio fühlte das Blut aus seinem Körper fließen und alles um ihn herum wurde wunderbar leicht.

## Kiridul

Der Nekromant war stolz auf das Vertrauen, welches sein Herr in ihn setzte. Sein Pferd ging gemessenen Schrittes durch das Stadttor und er betrachtete das Blutbad, was die Geschöpfe unter der Stadtwache angerichtet hatten. Beim ersten Anblick der Untoten waren die Stadtbewohner in Schrecken versetzt in ihre Häuser geflohen. Aber das würde ihnen nichts helfen. Stumm kommunizierte er mit seinen Nekromantenbrüdern und sie schickten die Armee von Untoten in die Stadt. Sie sollten jagen dürfen. Alles jagen, was lebendig war und zu den ihren machen oder verspeisen dürfen. Ihr Heer würde wachsen und sie würden sich hier festsetzen. Eine ganze Armee würde sie nicht hier heraustreiben können. Damit würden sie die zwei größten befestigten Städte unter ihrer Kontrolle halten.

Eilig setzten sich die Untoten in Bewegung und begannen über die Bevölkerung herzufallen. Türen wurden eingetreten und ein Bewohner nach dem anderen fiel den Untoten zum Opfer.

Kiridul ritt durch die Menge der wuselnden Leiber. Links von ihm zerfleischten drei Geschöpfe eine Frau, die ihrem Kind zu Hilfe kommen wollte und nun selbst Opfer wurde.

Kiridul aber wollte nicht weiter ihren Geschöpfen zusehen, sondern ritt durch das Grauen einem anderen Ziel entgegen:

dem Königspalast. Dort würde ihn sein Weg hinführen, um den Willen seines Herrn zu vollstrecken.

Die Wachen am Palast schienen ihre Posten verlassen zu haben. Wahrscheinlich um sich und ihre Familien in Sicherheit zu bringen. Aber Kiridul wusste, dass dieses Unterfangen sinnlos war. Alle anderen Stadttore waren auf Befehl des Königs verschlossen worden. Niemand würde die Hauptstadt verlassen, niemand würde entkommen. Niemand!

Der König saß ruhig und mit starrer Miene auf seinem Thron. Kiriduls Besuch schien ihn nicht zu beeindrucken. „Ich habe dich erwartet."

Kiridul antwortete nicht. Er verachtete den König, der ihren Plan fast zunichtegemacht hätte, indem er der Botschafterin ihre Pläne verraten hatte. Und das alles nur, um seine Macht zu demonstrieren.

„Der Herr ist nicht zufrieden mit dir." Seine Stimme ließ keinen Widerspruch zu und er erwartete auch keine Frage oder eine Rechtfertigung. Es war eine einfache Botschaft des Todesfürsten.

Der König erhob sich zu voller Größe. „Der Herr kann mir danken. Ich habe dafür gesorgt, dass seine Interessen hier gewahrt ..."

„Schweig!", donnerte Kiridul mit tiefer Stimme und schlagartig schien es dunkel um sie herum zu werden. „Du hast versagt! Du hast unsere Sache in Gefahr gebracht und unsere Sache sogar verraten. Als Dank dafür, dass ich dich zum König gemacht habe, verrätst du uns."

Wut zeichnete sich auf dem Gesicht des Königs ab.

Kiridul wollte nichts mehr hören. Er öffnete sich für die dunkle Seite seiner Magie und stieß eine dunkle Welle an Energie aus.

Erschrocken riss der König die Augen auf, als ihn die Welle traf.

Kiridul sah, wie der König innerhalb von zwei Atemzügen alterte, grau und faltig wurde. Gleich darauf faulte ihm das Fleisch von den Knochen und schließlich zerfiel er zu einem Häufchen Staub vor dem Thron.

Der Todesfürst hatte Kiridul dazu angewiesen, nicht nur zu töten, sondern ihn ganz zu vernichten. Die Seele des toten Königs war mit ihm gestorben. „Herr, es ist vollbracht." Kiridul ging zu einem der hohen Fenster und schaute auf ihr Werk in der Stadt. Die Stadt ertrank in Blut und Leichen. Aasvögel kreisten über der Stadt, in der Hoffnung einen Bissen bei diesem Festmahl zu ergattern. Heute wird jeder seinen Anteil bekommen, dachte der Nekromant. Jeder!

Atriba

„Hat noch jemand Fragen die Botschafterin?" Der Clanälteste Kohlebauch kniff die Augen zusammen, da seine Sehkraft bereits nachließ und er in den dunklen Stollen kaum noch zurechtkam. Natürlich gab er es nicht zu, sondern versuchte seine Schwäche zu überspielen. Er leitete diese Clanversammlung als ältester Clanführer, da es keinen König oder Königin gab.

Die Hände der anderen Clanführer gingen in die Höhe und zeigten an, dass sie zu Wort kommen wollten.

Atriba und Holderar saßen, als Gäste von Clanführer Goldfuß, in seiner Loge. Die Botschafterin setzte sich nach ihrem Vortrag wieder und wartete auf die Dinge, die jetzt folgen würden. Die sechs Clanführer waren vollständig mit Gefolge anwesend. Goldfuß' Männer hielten die Goldminen und zeigten ihren Reichtum gerne mit reichen Verzierungen und Schmuck im Gesicht. Ohren- und Nasenringe waren keine

Seltenheit. Ihr zur Schau getragener Reichtum wurde nur durch den Diamantclan überflügelt, deren Clanführer Diamantauge leise mit einem seiner Unterführer sprach.

Sie sah zu dem Erzclan, deren Angehörige wahre Meister in der Eisenverarbeitung waren, aber nicht zu den Reichen zählte. Ihr Clanführer Eisenhand hielt sich bedeckt und verfolgte die Diskussionen in den anderen Clans.

Der Älteste erteilte zuerst Diamantauge das Wort.

Dieser erhob sich langsam und holte tief Luft. „Verehrter Clanrat. Die Botschafterin kommt als Abgeordnete eines befreundeten Volkes und bittet unser Volk um Hilfe. Das ist eine legitime Tat und ehrt unser Volk." Er machte eine künstlerische Pause, um seine Worte wirken zu lassen und die Spannung zu erhöhen. „Aber die Frage ist, ob wir unseren verehrten Freunden diesen Wunsch erfüllen können, ohne selbst ins Visier der Menschenfeinde zu geraten. Soweit ich es richtig verstanden habe, ist es ein Krieg unter Menschen und ihren Toten. In solche Konflikte hat sich unser Volk nie eingemischt. Immer hat sich unser Volk nur um sich selbst gekümmert, im höchsten Fall Waffen und Ausrüstungen geliefert, aber niemals hat sich auch nur ein Zwergenkrieger auf die Seite der Menschen gestellt, um Seite an Seite mit ihnen zu streiten. Und so sollten wir es auch diesmal halten. Wir können Waffen liefern und Ausrüstungen, aber keiner meiner Krieger wird sich an einem Kampf beteiligen."

Diamantauge setzte sich und seine Clanmitglieder stampften zur Zustimmung seiner Worte mit den Stiefeln auf. Auch aus den anderen Clans kam vereinzelte Zustimmung. Nur Goldfuß'Clan schwieg.

„Dieser Feigling", knirschte Holderar zwischen den Zähnen zu Atriba, „Er will Gewinn mit dem Verkauf von Ausrüstungen machen, aber nichts riskieren."

„Sch...", beruhigte Atriba ihn. „Bleib ruhig und warte ab."

Holderar schwieg und sagte nichts mehr, kochte aber innerlich vor Wut.

„Wer hat noch etwas zu sagen?", fragte Kohlebauch und erteilte dem Clanführer Gemmenohr das Wort.

„Ich höre weise Worte aus den Worten von Diamantauge. Unser Volk sollte sich aus dem Krieg der Langen raushalten."

Er benutzte das anfällige Wort „Langer" für die Menschen, was zumindest in diplomatischen Kreisen als Unhöflichkeit galt.

„Unser Volk hat sich lange Zeit nur um sich selbst gekümmert", fuhr Gemmenohr fort und seine schwarzen Haare umrahmten sein rundes Gesicht, „Und wir sind immer gut dabei zurechtgekommen. Wir haben hier, in unserem Reich nichts zu befürchten. Unsere Stollen sind stark, die Außengrenzen gesichert. Und wenn die Heere der verehrten Botschafterin verlieren, werden wir uns mit den neuen Herrschern schon einig werden."

Atriba Innerstes zog sich zusammen. Es waren unverblümte und direkte Worte, die Gemmenohr sprach. Mit wachsender Sorge sah sie Diamantauges Männer, die zustimmend nickten. Zwei Clans waren schon gegen sie. Kohlebauch hatte sich noch nicht geäußert und verfolgte weiterhin die anderen Anführer. Atriba ordnete ihn als unentschlossen ein.

Clanführer Schildbuckel stand auf. Anders als die anderen Clans bestand der Kriegerclan aus Zwergen des anderen Clans. Sie waren für die Verteidigung des Zwergenreiches zuständig. Zikular Schildbuckel wartete gar nicht darauf, dass Kohlebauch ihm das Wort erteilte, sondern brüllte in das aufsteigende Stimmengewirr. „Was seid ihr für Schlappschwänze. Denkt nur an Gewinn und wie ihr euch am wenigsten die Hände schmutzig macht." Er spie aus und ein dicker Klumpen Rotze flog auf den Steinboden. „Ihr habt gehört, was die Botschafterin berichtet hat. Einer unserer Zwergenbrüder sitzt neben ihr und beide bitten um Hilfe. Und ich bin bereit, sie ihnen zu gewähren. Unsere Königin ist schon bei den Göttern und viele unsere Brüder und Schwestern sind mit ihr gegangen. Und ihr sollt euch gegenseitig die Köpfe in die Ärsche stecken und so tun, als ob ihr nichts mit alldem zu tun habt."

„Schildbuckel, du vergreifst dich im Ton", fuhr Diamantauge dazwischen und drohte mit dem ausgestreckten Finger. „Du kannst ohne die Zustimmung der anderen Clans deine Hilfe nicht zusagen. Dafür muss ein Mehrheitsbeschluss vorliegen durch den Clanrat."

„Da scheiß ich drauf.", brüllte Schildbuckel zurück. „Und du, Diamantauge, wenn du nicht so scharf auf die Krone wärst, würdest du deine Axt einpacken und jedem die Schädel einschlagen."

„Meine Mitbrüder, bitte mäßigt euch", versuchte Kohlebauch zu schlichten, wurde aber ignoriert.

„Wir müssen zuerst an unser Reich denken. Und wir stehen uns besser dabei, wenn wir uns mit den neuen Herrschern arrangieren."

„Ach leck mir doch die Arschspalte, Gemmenohr. Leg deine Rechenmaschine beiseite und denk an das, was vorhin erzählt wurde. Die Untoten machen nicht vor unseren Stollen und Minen halt. Wenn die Untoten die Menschen besiegen, kommen wir an die Reihe. Und früher oder später werden wir dabei draufgehen. Unser Volk ist nicht mehr so stark wie früher. Alleine können wir nicht lange gegen einen Haufen Untote und Nekromanten aushalten. Wie ihr wisst, ist das Zwergenvolk nicht fähig mit der Magie umzugehen. Nur durch die Koalition mit den Menschen und dieser Legion, der wir uns anschließen sollen, haben wir eine Chance." Schildbuckel griff sich in den Schritt und machte eine obszöne Geste in Richtung Gemmenohr. Dann setzte er sich.

Holderar beugte sich zu Atriba hinüber. „Zwei Clans sind auf unserer Seite, Botschafterin. Aber es fehlt noch mindestens einer, damit wir einen Gleichstand haben."

„Es ist noch nichts verloren", flüsterte Atriba.

Jetzt erhob sich Goldfuß. Ruhig stand er da, imposant und einschüchternd. „Ich bitte um das Wort, Ältester."

Kohlebauch nickte ihm zu und blinzelte.

„Zwergenbrüder. Ich will nicht viele Worte machen. Wie ihr wisst, streiten Diamantauge und ich um den Thron. Und jeder von euch wird den einen oder anderen lieber als König sehen. Aber das muss zurückstehen. Hier geht es um etwas, was nicht nur die Menschen oder die Zwerge angeht. Die Menschen und die Zwerge sind die letzten beiden alten Rassen, die noch in der Welt existieren. Die Elben sind vor Urzeiten vom Antlitz der Erde verschwunden, die Riesen ausgestorben. Und nun schickt sich jemand an, unsere Existenz anzuzweifeln, will alles Leben vernichten und versklaven. Das müssen wir mit vereinten Kräften verhindern. Es ist nicht nur das Problem einer Rasse, sondern von allen Lebenden." Er machte eine kurze Pause, um seine Worte wirken zu lassen. „Lasst uns unsere kleinlichen Konflikte zurückstellen und unsere Existenz sichern. Ich sage wir ziehen mit den Menschen in den Krieg. Das sind wir unserer toten Königin schuldig. Und uns selbst."

„Richtig", rief Schildbuckel, „Ich stimme dir zu. Schärfen wir die Äxte und ziehen in den Krieg. Wer nicht mit will, soll sich mit seinem Bart den Arsch abwischen."

Eisenhand sprang ebenfalls auf. „Ich stimme Goldfuß zu. Wir müssen den Menschen helfen und die gemeinsamen Feinde vernichten."

„Drei Clans", zählte Atriba mit.

„Ich stimme dagegen", konterte Gemmenohr. „Wir haben mit dieser Sache nichts zu tun. Ich sage wir lassen die Menschen diesen Krieg führen und einigen uns mit dem Sieger."

„Feigling", sagte Eisenhand, gerade so laut, dass es alle hören konnten.

„Ich stimme ebenfalls dagegen." Diamantauge stand und stemmte die Fäuste in die Hüften.

„Zwei Clans dagegen, jetzt kommt es auf den Ältesten an." Atriba wusste, sie hatten jetzt alle Chancen. Alles kam auf Kohlebauch an. Allen Anwesenden im Clanrat war dies nun bewusst und alle Augen richteten sich auf den alten Zwerg. Eine gespannte Stille machte sich breit und Atriba merkte, wie sie vor Spannung die Luft anhielt.

„Meine Brüder, ihr stellt mich vor eine schwere Wahl." Kohlebauch kniff die Augen zusammen. „Ich bin alt und werde bald vor unseren Schöpfer treten. Früher wäre ich begeistert in den Krieg gezogen, aber in meinem Alter sind die Muskeln schlaff und Augen schlecht. Es ist das Los der alten Männer. Unsere Körper sind schwach, aber wir haben durch die gelebten Jahre Erfahrungen, die den Jungen fehlen. Unsere Aufgabe ist nicht das Kämpfen, sondern das Treffen von schweren Entscheidungen."

Alle hingen gebannt an seinen Lippen und warteten auf seine Entscheidung.

„Ich stimme für den Krieg! Ich hoffe die Jungen werden mir verzeihen, wenn ich sie in den Krieg schicke."

Jubel brandete bei den Befürworten des Krieges auf und zornig warfen sich Gemmenohr und Diamantauge wütende Blicke zu.

Atriba atmete auf und umarmte in ihrer Freude Holderar.

„Gut gemacht, Botschafterin", lobte der Zwerg und sah, wie sich Gemmenohrs und Diamantauges Clan aus der Versammlung entfernten.

Thom

Er musste sich erst an das dämmrige Licht gewöhnen, welches ihn hier umgab. Seine Schulter schmerzte noch von der Berührung vorhin. Viel mehr schmerzte ihn aber noch der Verlust Mindokars, welches er so bereitwillig niedergelegt hatte, um Zugang zur Nekropole zu erhalten.

„Komm weiter durch." Diesmal erklang die Stimme nicht nur in seinem Kopf, sondern entsprang einer natürlichen Quelle in seiner Nähe.

So groß, wie das Gebäude draußen auch aussah, so gigantisch wirkte es im Inneren. Dunkle Gänge aus glattem Stein verzweigten sich vor ihm.

„Welchen Weg soll ich denn wählen? Hier gibt es nicht nur einen Gang."

„Wähle den richtigen Weg, und du gelangst zu mir."

„Und wenn ich falsch wähle?"

„Dann landest du bei meinen Geschöpfen. Ohne deine Waffe wirst du ihnen wenig entgegenzusetzen haben."

Thom verkniff sich einen Fluch und stand vor einer Abzweigung aus drei Gängen. Reine Glückssache, welches Gang er nehmen musste, also entschied er sich ohne lange zu Überlegen für den Mittleren.

„Gut gewählt. Und jetzt gehe so lange geradeaus, bis du am Ende angelangt bist."

Dunkel lag der Weg vor ihm und Thom setzte sich in Bewegung. Vorsichtig ging er vorwärts, da es kein Licht gab und er durch das Halbdunkel hindurch musste.

„Du wurdest vom Tod berührt, ich rieche ihn an dir." Wieder schien die Stimme ihren Ursprung in unmittelbarer Nähe zu haben.

„Ich habe den Tod erfahren und ihn verbreitet." Er wusste, eine Lüge wäre sofort vom Todesfürsten entlarvt worden.

„Hat es dir etwas ausgemacht?"

„Das Töten? Nein. Ich habe für das Töten meine Gründe gehabt." Thom ging weiter und fühlte eine Beklemmung in der Brust. Dieser endlos lange Gang erinnerte ihn an seinen Ausflug mit der Rotte in den Zwergenminen. Es war die Wahrheit. Die Menschen, die durch seine Hand gefallen waren, dienten einem Ziel: Rache. Rache für seine Familie, Lydia und seine Freunde. Taddeusz, der ihnen geholfen hatte, als sie einen Unterschlupf brauchten. Erkilor, der an der Seite Gadahs gefochten und an dieser gefallen war. Holderars Bruder und seine Kameraden der Rotte. Er ballte die Fäuste und wünschte sich Mindokar herbei. Die Sicherheit, die ihm die Klinge verlieh, wurde ihm erst jetzt bewusst.

Vor ihm schälte sich eine dunkle Fläche aus der Schwärze. Thom streckte die Hand aus und tastete nach einem Türgriff. Aber nichts war da. Er drückte einfach zu und mit einem leisen Klicken öffnete sich die Türe.

Helles Licht empfing ihn.

„Willkommen."

Diesmal konnte Thom die Stimme lokalisieren. Links von der Türe stand ein junger Mann mit einer dunkelblauen Robe. Die Augen irritierten ihn. Es war kein Weiß zu sehen und keine Iris. Nur ein tiefes, dunkles Schwarz füllte die Augenhöhlen.

„Tritt näher. Ich will dich näher ansehen."

Thom ging noch einen Schritt näher an den Mann heran und sah ihm direkt in diese schwarzen Augen.

„Du bist mutig. Normalerweise haben die Lebenden Angst. Selbst meine Diener fürchten mich."

„Warum sollte ich Angst haben? Ich bin freiwillig hier und bin unbewaffnet. Stelle also keine Gefahr dar." Er wusste, wie sehr der Todesfürst im Recht war. Wenn er in Thom eine Gefahr sehen würde, würde er nicht mehr lange leben.

„Spiel mir nicht den Naiven vor. Du bist ein kalkuliertes Risiko eingegangen, weil du dir denken konntest, wie neugierig ich darauf war, den Magier kennenzulernen, der meinem ersten Nekromanten eine solche Niederlage zufügen konnte."

Thom schluckte, versuchte aber, sich ansonsten nichts anmerken zu lassen.

„Du bist überrascht? Musst du nicht sein. Während du durch diesen Gang vorhin gewandert bist, habe ich mich ein wenig in deinen Erinnerungen umgesehen. Du hast eine große Kraft und trägst einen großen Hass in dir. Ich muss schon sagen, wie du die Energie der Blitze gebündelt und der Natur die Kraft abgetrotzt hast, ist bewundernswert. Selbst meine stärksten Nekromanten wären dazu nicht in der Lage. Wer hat dich ausgebildet?"

„Mein Vater", antwortete Thom kurz angebunden.

„Gut, es ist auch nicht von Belang. Die Frage ist, was willst du hier?"

Thom leckte sich kurz über die Lippen. „Ich möchte in die Geheimnisse der Nekromantie eingeweiht werden."

Den schwarzglänzenden Augen war keine Gefühlsregung zu entnehmen. „Obwohl du gegen meine Armee gekämpft hast?"

Thom zuckte mit den Schultern. „Warum nicht?"

„Die Antwort ist nicht befriedigend. Du hast gegen mich gekämpft und gegen die Kräfte, über die ich gebiete. Warum also? Ich warne dich, bleib bei der Wahrheit."

Er schluckte schwer. Er versuchte, seinen Geist zu reinigen. „Dein Angebot ist mir zu Ohren gekommen. Wer zu dir überläuft, wird auf der Seite der Sieger stehen."

„Das ist alles?"

„Ja, das ist alles. Ich habe verstanden, dass Idealismus und seine Verfechter zwar mit einem reinen Gewissen einschlafen, aber früher oder später in diesem Konflikt unterliegen werden. Ich habe gegen deine Nekromanten gekämpft, um dir zu demonstrieren, über welche Macht ich gebiete und ich bin mir sicher, du wirst eine Verwendung für mich haben, wenn ich dir diene."

„Und wenn ich dich aus Wut über meine Niederlage einfach töte?"

Thom zuckte nochmal mit den Schultern. „Dann wäre es ein vorgezogener Tod, den deine Feinde sowieso erleiden werden. Also was macht es aus, ob man früher oder später stirbt."

„Du hast den Tod bereits gesehen. Ich spüre es genauso, wie deine Aura an Macht."

Der Todesfürst ging gemessenen Schrittes um Thom herum. „Du bist ein interessanter Bursche. Kaum jemand hätte die Gefahr auf sich genommen, so wie du es getan hast. Und niemand hätte es gewagt mir gegenüber mit seiner Tat zu prahlen, ein Heer vernichtet zu haben, was in meinen Diensten stand. Ich bin mir noch unschlüssig, ob du außerordentlich dumm oder tapfer bist."

Thom schwieg einfach. Welche Worte wären auch in dieser Situation wirksam gewesen?

„Komm mit." Der Todesfürst drehte sich einfach um und ging voraus. Thom setzte sich in Bewegung und folgte ihm in gebührendem Abstand.

„Ich will dir etwas zeigen. Besser gesagt, ich will prüfen, ob du das kannst, was du behauptest."

Thom behielt seine ausdruckslose Miene bei, aber seine Gedanken begannen zu kreisen. Was für eine Prüfung würde man ihm auferlegen?

Sie bogen zweimal ab. Der Weg führte sie auf eine Balustrade, die über einer Art überdachtem Kampfplatz thronte. Zwei Manneslängen unter ihm tummelten sich einige Untote und drei Weißhaarige.

„Hier üben meine jungen Schüler und Brüder ihre Kräfte zu gebrauchen. Du sagst, du hast in der Schlacht einige meiner

Brüder getötet. Töte sie und zeig mir, dass du es wert bist in meine Dienste zu treten."

Thom zog die Stirn kraus. „Wie denn?"

„Geh runter und kämpfe gegen sie."

„Ich töte nicht ohne Grund."

„Du tötest auch jetzt nicht ohne Grund. Wenn du dich weigerst, lasse ich dich töten."

„Wo ist mein Schwert?"

Der Todesfürst lachte leise. „Wenn du der bist, der du behauptest, wirst du ohne Schwert dort unten bestehen."

„Ist das dein ernst?"

Der Todesfürst stützte sich leicht auf das Geländer und ignorierte ihn. „Meine Brüder. Ich habe euch Besuch mitgebracht. Jemand der in der letzten Schlacht unsere Brüder getötet hat. Aber er will nicht beweisen, was er kann. Es scheint, als ob er ein Hochstapler ist. Meint ihr, ich soll ihn von den Geschöpfen ausweiden lassen?"

Thom knurrte böse. „Lass gut sein. Ich geh da runter, aber beschwere dich nicht, wenn du nachher ein paar Männer weniger hast."

„Du nimmst den Mund ziemlich voll, Fremder."

Jetzt war es an Thom sein Gegenüber zu ignorieren. Er machte eine Hockwende über das Geländer und landete sanft auf dem Boden. Nur sein Kettenhemd klirrte leise.

Er sog die Wärme des Raumes auf und fühlte, wie seine Kräfte innerlich wuchsen.

„Ist es wahr, dass du unsere Brüder getötet hast?"

„Ist es wahr, dass ihr Frauen und Kinder ermordet, um sie zu diesen willenlosen Geschöpfen zu machen?", konterte Thom. „Ich habe nicht nur in der Schlacht eure Brüder getötet. Vorne am Eingang zur Stadt habe ich noch jemanden von eurer Brut getötet, er meinte, er hätte bei der Schlacht jemanden verloren, der ihm nahe stand. Jetzt ist er bei seinem Freund."

„Du hast ein großes Maul", stellte der Nekromant fest.

„Willst du mit mir weiter reden oder willst du den Wunsch des Todesfürsten erfüllen und mich töten?" Thom wusste, Schwäche würde ihn hier umbringen. Der Todesfürst wollte sehen, ob er Töten konnte und das würde er demonstrieren.

Drei der Untoten näherten sich. Er vermutete, sie wurden von dem Nekromanten beherrscht, mit dem er gerade gesprochen hatte. Thom sog die Luft zwischen die Zähne ein. Die Wärme der Leiber reichte aus um den Raum zu wärmen und um Thoms Kräfte zu nähren. Er wusste, Mindokar war nicht mehr notwendig und rief eine innere Ruhe herbei, die ihn durchströmte.

Die drei Untoten bewegten sich flüssiger als die, denen Thom zuletzt gegenüber gestanden hatte. Von der anderen Seite bewegten sich auch vier auf ihn zu. Insgesamt erwarteten ihn etwas mehr als ein Dutzend dieser Geschöpfe. Tod und Verderben brachten sie mit ihren Nekromanten über das Land. Wut stieg in ihm auf und forderte ihren freien Lauf. Seine Kraft ernährte sich vom Hass und er fühlte, wie der Punkt sich näherte und stieß einen Schrei aus, um die Schmerzen, die der Energiefluss auslöste zu dämpfen. Die Macht hatte ihren Zenit erreicht und er ließ es zu, dass sie herausbrach.

Flammend erwuchs ein Abbild Mindokars in seiner Hand. Rotglühend mit lodernder Oberfläche stand das Schwert in seiner Hand. Sein Atem ging schneller, angestrengt durch die Energie, die ihn durchströmte. Die Flammen zuckten über seine Handinnenfläche, verbrannten ihn aber nicht.

Thom schwang die flammende Klinge im weiten Bogen und teilte den ersten der Untoten auf der Stelle in zwei Hälften. Dem Zweiten schlug er zuerst die Beine ab und bevor der Körper den Boden berührte, fiel noch der Kopf des Geschöpfes zu Boden.

Einer der Nekromanten fluchte. „Los, kreist ihn ein und reißt ihn entzwei."

Dem am nächsten stehenden Untoten rammte Thom den Ellenbogen ins Gesicht und ergriff seine Kehle. Seine Finger fuhren durch totes Fleisch und rissen die Luftröhre heraus. Vom Schwung herumgetragen stieß er den toten Körper den Untoten vor die Füße. Einer konnte nicht mehr ausweichen und stolperte über seinen Kameraden. Ohne nachzudenken, sprang Thom ab und landete mit beiden Füßen auf dem Schädel des Körpers. Unter ihm brach der Schädel. Seine Stiefel drangen durch Gehirnmasse und Knochen und machten den Boden rutschig. Sein Arm zuckte vor und das flammende Mindokar drang in die Brust des Untoten. Flammen zuckten über das verwitterte Fleisch und setzten es in Brand.

Einer der Nekromanten zog seinen Opkisa und sprang auf Thom zu. Überrascht schlug er den Holzstab beiseite. Funken sprühten auf, als die unterschiedlichen Magien aufeinandertrafen. Er drehte sich auf der Stelle und schwang die Klinge quer über die Brust des Nekromanten. Mühelos schnitt seine Feuerklinge durch Fleisch und Rippen. Schreiend ging der Nekromant mit offenem Brustkorb zu Boden.

„Genug!", donnerte eine Stimme und ließ die Nekromanten erstarren. „Zieht eure Geschöpfe zurück!", befahl der Todesfürst. „Und du", wandte er sich an Thom, „Lass deine Waffe verschwinden. Du hast die Probe bestanden." Er richtete seine nächsten Worte an den Nekromanten, der Thom am nächsten stand. „Ihm darf nichts geschehen. Dafür bist du verantwortlich. Zeige ihm, wo er sich waschen kann. Anschließend bringst du ihn zu mir"

Der Weißhaarige neigte den Kopf leicht. „Ja, Meister."

Ohne weitere Worte folgte Thom seinem Aufpasser, vorbei an den lungernden Untoten, die sich nicht rührten. Nur der verbleibende Nekromant spuckte vor ihm aus, als er an ihm vorbei ging.

Gadah

„Ich mache mir Vorwürfe, weil ich ihn nicht aufgehalten habe." Milana lag mit ihrem Kopf auf Gadahs Brust und streichelte seinen Bauch. „Ich habe es noch nicht mal versucht."

„Du kannst da gar nichts für. Niemand konnte wissen, was er vorhatte. Seit seiner Ohnmacht nach der Schlacht war er verändert."

„Wie meinst du das?"

„Ich meine damit nicht seine Art zu reden oder zu sein, aber seine Stimmung war anders. Zum ersten Mal habe ich so etwas wie Frieden in seinen Augen sehen können. Zuletzt habe ich das bei ihm gesehen, als er mit Lydia zusammen war."

„Was wird er tun, was glaubst du? Ich kann nicht glauben, dass er uns einfach so verlässt, ohne ein Wort des Abschieds."

Gadah lag mit dem Kopf auf seinem weichen Kissen und streichelte ihr die Schulter. „Nein, das würde Thom nicht tun. Ich glaube, er will etwas tun, was in unseren Augen keine Zustimmung gefunden hätte. Deswegen ist er so heimlich, still und leise davon."

„Hoffentlich tut er nichts Unüberlegtes." Gadah lächelte. „Ihr Frauen. Immer Angst um ihre Küken. Er kann alleine auf sich aufpassen, das hat er schon mehr als einmal bewiesen. Thom ist selbstständig und klug."

„Was Isela betrifft nicht."

„Du weißt, Lydia ist noch in seinem Herzen."

Milana drehte den Kopf zu ihm. „Er hat so viel Tod gesehen, dabei ist er noch so jung."

„Das stimmt. Manchmal frage ich mich, was nach dem Krieg geschieht."

„Glaubst du denn, wir werden ihn gewinnen?"

Gadah ließ sich mit der Antwort ein paar Atemzüge Zeit. „Es sind noch genug von uns übrig, wir können gewinnen, wenn wir es geschickt anstellen und den Feind auf dem linken Fuß erwischen. Sobald wir diese Nekromanten getötet haben, sind die Untoten hilflos." Sein Amulett lag auf seiner Brust. Flach geschmiedet, an den alten Lederriemen gebunden, still ruhend und eine beruhigende Wirkung ausstrahlend.

„Und wenn wir alles zusammenpacken und weggehen? In ein anderes Land über den Ozean? Ich will nicht auch noch dich verlieren, mein Liebster."

Das Klopfen an der Tür ersparte ihm eine Antwort.

„Wer ist da?", rief Gadah.

„Optio der Torwache", kam eine gedämpfte Stimme durch die Türe. „Ich vermelde, dass die Botschafterin Feuersturm zurück ist."

Wie von einer Biene gestochen fuhr Gadah hoch. „Ich komme", antwortete er. Die Momente der Zweisamkeit waren vorbei, denn der Dienst rief ihn wieder.

Schnell war er in Stiefel und Rüstung geschlüpft. Zärtlich beugte er sich noch einmal zu Milana und gab ihr einen Kuss auf die Stirn. „Schlaf etwas, alles wird gut."

Sie streichelte ihm stumm übers Gesicht und küsste ihn kurz. „Geh zur Botschafterin, vielleicht hat sie gute Neuigkeiten für uns."

Hunerik stand auf dem Exerzierplatz und stützte sich auf seinen Kampfstab. Wer ihn nicht gut kannte, hätte es für eine lässige Geste halten können. Aber Gadah konnte die weiß hervortretenden Fingerknöchel sehen, die zeigte, wie feste sich sein Freund an seinen Stab klammern musste.

Ihm geht die Kraft aus, dachte Gadah und winkte ihm zu.
„Die Botschafterin ist angekommen", sagte er, als er bei Hunerik stand.

„Ja, die Posten haben es laut genug verkündet." Seine Stimme klang stark, aber heiser.

„Willst du mitkommen? Ich möchte direkt mit ihr sprechen und mit den Planungen beginnen."

„In Ordnung. Meine Rekruten können ein paar Runden ohne mich über den Platz drehen."

„Sie werden bestimmt weinen, weil du gehst." Gadah grinste.

„Höchstens vor Freude."

„Los, komm, wir wollen hören, was für Nachrichten die Botschafterin bringt."

Als er hörte, dass sich die Zwerge ihnen anschließen würden, fiel Gadah ein Stein vom Herzen.

„Du bist der Oberbefehlshaber der vereinigten Streitkräfte, aber ein Zwerg wird dein Vertreter sein, so sind die Bedingungen." Atriba sah zufrieden aus.

„Damit können wir leben. Nicht wahr, Hunerik?"

„Und ob. Ich habe sowieso mehr Freude daran, wenn ich mich auf die Ausbildung der Truppen konzentrieren kann."

Sie saßen im Hauptquartier des Lagers und Atriba fuhr fort.

„Holderar wollte bei ihnen bleiben, um die Aufstellung der Truppen zu begleiten. Ich glaube, er war ganz froh, einmal wieder in seinen Minen zu sein und bärtige Gesichter zu sehen."

„Du meinst Gesichter auf Augenhöhe", lacht Hunerik los.

Auch Gadah musste über den Scherz lachen.

„Was ist mit den Barren, die geholt worden sind? Können wir damit auch noch die Zwerge versorgen?"

„Es sind noch welche vorhanden. Wie viele Krieger werden denn zu uns stoßen?"

„Goldfuß sprach von vier- bis fünftausend."

Hunerik pfiff anerkennend durch die Zähne. „So viele. Alle werden wir nicht versorgen können. Wir haben höchstens noch die Hälfte der Barren, die Thom geholt hat. Und mehr gibt es nicht, soviel ich weiß."

„Das stimmt", bekräftigte Gadah. „Ich denke wir werden noch dreitausend Mann ausrüsten können. Die anderen Zwerge können wir nicht mit den Schutzamuletten ausrüsten."

„Dann werde ich für deren Schutz sorgen", bestimmte Atriba. „Ich habe mein Wort gegeben, bei der Schlacht meinen Anteil zu leisten."

„Du?" Hunerik und der Kriegskonsul sahen sie kritisch an.

„Ja, ich. Ich bin in Militärtaktik ebenso geschult, wie in der Diplomatie. Das heißt, wir teilen die Zwerge in zwei Gruppen ein. Der Teil, der noch die Schutzamulette erhalten kann, wird mit dir gehen und ich werde mich mit denjenigen zusammenschließen, die keine Amulette mehr bekommen können. Ich werde ihr magischer Schild sein. Oder wollt ihr meine Hilfe ablehnen?"

Entschuldigend hob Gadah die Hände. „Oh nein. Wir können jede Hilfe gut gebrauchen, vor allem wenn sie magisch ist."

Hunerik machte ein nachdenkliches Gesicht. „Wisst ihr, was mir Sorgen bereitet?"

„Was denn?", wollte die Botschafterin wissen.

„Wir haben zwar nicht mehr genug Metallbarren für Schutzamulette, aber das ist nicht das Schlimmste."

„Sondern?"

„Wir haben unmöglich genug Schnaps, um diese kleinen versoffenen Kerle bei Laune zu halten."

Holderar

Er genoss es, bei seinen Brüdern zu sein und zu trinken. Sie hielten ein Festmahl ab, wie es Brauch bei den Zwergen war, wenn ein Krieg oder eine Schlacht anstand. Große Fässer mit starkem Zwergenbier und reichlich Fleisch wurden aufgetischt und verspeist. Einige Männer sangen Lieder zwischen den einzelnen Gängen und erzählten sich von ihren großen Taten in vorherigen Schlachten.

Holderar saß mit Zwergen am Tisch, die bereits grau waren und solchen, die noch in den jungen Kriegerjahren standen. Nur wenige standen im besten Alter. Der Kriegerclan hatte noch die meisten Männer zu bieten, die Holderar als kampffähig ansah. Er saß zu Goldfuß' Linken und kippte seinen Branntwein die Kehle hinab. Schließlich sang er noch ein Lied mit den Männern am Tisch mit, bevor er seine Blase merkte. Wortlos stand er auf und entfernte sich in Richtung der Latrinen.

Das Innere von Goldfuß' Palast war zweckmäßig eingerichtet. Neben dem Speisesaal waren die Latrinen in den Stein gehauen und stabile Holztüren versperrten die Sicht auf die pissenden Besucher.

Nach dem Hochziehen seiner Beinkleider beschloss er, sich in Goldfuß' Palast etwas umzuschauen, und so streifte er durch die, in den Stein geschlagenen, Gänge. Abseits des Gedränges waren weniger Zwerge unterwegs. Nur vereinzelte Bedienstete, die entweder mit Speisen oder Getränken beladen waren, kreuzten seinen Weg und beachteten ihn kaum. Nur einige riskierten einen verstohlenen Blick um den Zwerg zu sehen, der bereits Seite an Seite mit den Menschen kämpfte. Holderar ignorierte sie und hatte nur Augen für die goldenen Büsten, die in steinernen Nischen standen. Vorfahren von

Goldfuß. Sein Vater, sein Großvater und Urgroßväter. Frappierend waren die Ähnlichkeiten, die die Büsten aufwiesen, einer wie der andere sah aus wie aus dem gleichen Stein geformt. Er bog in einen Gang nach links ab und gelangte in eine mit Kerzen beleuchtete Halle. Außer ihm war niemand zu sehen, aber in der Mitte der Halle war ein Standbild des Zwergengottes Osilar. Ehrfürchtig schaute er auf das Standbild und näherte sich ihm langsam.

Wie lange war es her, dass er zu Osilar gebetet hatte? Er überlegte kurz und kam zu dem Schluss, es war damals in den Stollen gewesen, als sie von den Untoten gejagt worden waren. Als Pildar und seine Kameraden ihr Leben gelassen hatten. Holderar ging auf die Knie an und schaute seinen Gott direkt an. „Warum?", fragte er leise, „Warum hast du ihn sterben lassen und hast mich weiterleben lassen? Er war der bessere Zwerg von uns, er war unser Anführer. Unser Volk hätte ihn dringender gebraucht als mich."

Sein Blick wurde trüb und er dachte an ihre gemeinsame Kindheit und Jugend zurück.


„Los du Lahmarsch, komm her und fang mich doch." Pildar rannte um den Tisch in der Stube herum und animierte seinen Bruder ihm zu folgen.

„Langsam Kinder." Ihre Mutter balancierte eine Schüssel mit frischem Teig, aus dem das Brot für den Abend werden sollte. „Geht doch bitte draußen spielen."

Das ließen sich ihre Kinder nicht zweimal sagen. Schneller als sie gucken konnte, sausten die Brüder hinaus und erfreuten sich ihres Lebens außerhalb der mütterlichen Obhut. Schnell machten sie sich zu ihrem Lieblingsplatz auf: einem kleinen Aussichtsturm oberhalb des königlichen Palastes, in welchem ihre Mutter Köchin war. Hier oben konnten sie beobachten, wie die Männer der Rotte übten und sich maßen. Ihr Vater war auch einst ein Mitglied der königlichen Rotten gewesen, denen der Schutz des Reiches oblag. Immer wurden sie ausgesandt, wenn dem Reich eine Gefahr drohte. Nachdem ihre Mutter den Vater kennengelernt hatte, schied er aus der Rotte aus, da nur ledige Zwergenmänner Mitglieder der Rotte sein konnten. Zu groß war die Gefahr, dass die Kinder von Rottenmitgliedern als Halbwaisen aufwachsen mussten, wenn ihre Väter bei einer Mission ihr Leben lassen mussten. Einer Ironie des Schicksals war es zu verdanken, dass ihr Vater ein paar Jahre nach der Geburt Holderars bei einem Stolleneinsturz ums Leben kam. So musste ihre Mutter die Kinder selbst durchbringen und ihr Geld als Köchin verdingen. Aber sie kümmerte sich liebevoll um ihre beiden Jungs. Auch weil sie wusste, dass sie ihrem Vater folgen würden. Beide betonten bei jeder Gelegenheit, dass sie vorhatten, sich bei Volljährigkeit zur Rotte zu melden, um dort zu dienen.

An dem Tag, an dem es soweit war, standen sie mit stolzgeschwellter Brust auf dem Paradeplatz der Rotte und wurden von einem alten Zwerg angebrüllt und geschunden. Die nächsten Monate und Jahre bestanden nur darin aufzustehen, sich zu schinden und am Abend todmüde ins Bett zu fallen. Aber sie beide schafften es, woran viele andere scheiterten: Sie wurden in den elitären Kreis der Rottenmitglieder aufgenommen und durften fortan das Reich und ihre Würdenträger beschützen. Auf Reisen nahm die Königin sie als ihre Schutztruppe mit und in Kriegszeiten waren sie die Speerspitze der Zwergenarmeen. Als Pildar zum Rottenführer aufstieg verspürte Holderar keinen Neid, sondern nur stolz auf seinen Bruder. Mehr Ehre konnte einem Zwergenkrieger nicht an Ehre widerfahren.

„Warum hast du ihn sterben lassen?", fragte Holderar erneut halblaut. Schwer erhob er sich, nachdem er noch ein kurzes Gebet zu Osilar gesprochen hatte. Verlegen rieb er sich die Narbe am Oberarm, die er sich in einem Übungsgefecht mit seinem Bruder zugezogen hatte und wurde aufmerksam, als er Schritte hinter sich hörte.

„Was machst du hier, wo doch alle anderen den kommenden Kriegszug feiern?" Eine dralle Zwergenfrau mit großen Brüsten und braunen Augen stand am Eingang der heiligen Halle.

„Bist du mir gefolgt?"

„Ja, ich sah, wie du auf den Abort gingst und nicht wieder zurückkamst." Nach einer kurzen Pause setzte sie hinzu: „Du hast gebetet oder?"

Die Frage, was sie das anging, schluckte Holderar herunter, bevor sie heraus war. „Ich brauchte ein paar Augenblicke für mich", wich er aus und wollte sich an der Zwergin vorbei drücken.

„Willst du heute Nacht alleine sein?", fragte sie ganz offen.

Er überlegte und war sich unschlüssig.

„Goldfuß schickt mich. Ich bat mich darum, mich ein wenig um dich zu kümmern. Als Wiedergutmachung für den Eisenhandschuh. Zu wüsstest dann schon, was gemeint ist, sagte er."

„Es wäre grob unhöflich, wenn ich dich zurückschickte oder?"

„Nicht nur das. Ich würde mich persönlich beleidigt fühlen und erwägen mich an meinen Herrn zu wenden, weil du meine Ehre beleidigt hast." Sie kam etwas näher und legte ihm ihre Hand auf die Brust. „Wie magst du es denn?"

„Ohne Worte." Er zog sie heran und presste seinen bärtigen Mund auf den ihren.

Gadah

Nebelschwaden zogen um das Lager. Die Nacht war noch einmal empfindlich kalt gewesen und so kämpfte die langsam aufgehende Sonne gegen den Morgenreif. Über den Nebel hinweg war bereits das Licht des aufgehenden Sterns zu sehen und Gadah schloss für einen Moment die Augen und dachte an die Freuden der vergangenen Nacht. Milana war für ihn ein Geschenk. Ihre Nähe gab ihm Kraft, wie es noch nie eine Frau geschafft hatte.

„Wann wollten die Kleinen hier sein?"

Hunerik stand neben Gadah und sah schlechter aus als je zuvor. Seine Gesichtsfarbe sah ungesund aus und leichte Augenringe zierten seine Augen. Er folgte seinem Vorsatz und fragte seinen Freund nicht, wie es ihm ging und wie er sich fühlte. Eine vernünftige Antwort würde er eh nicht erhalten. So genoss er die Gegenwart seines alten Freundes. „Atriba sagt, dieser Goldfuß wollte gegen Morgengrauen da sein."

Sie standen wieder schweigend da, wie es alte Freunde manchmal tun, wenn sie sich nichts zu sagen haben, aber sich trotzdem verstehen. Den Wachposten hatte er in seine Unterkunft geschickt. Warum sollten sich hier drei Männer die Beine in den Bauch stehen, wenn auch zwei genügten.

„Wirst du Milana heiraten, wenn das alles hier vorbei ist?", fragte Hunerik ganz unvermittelt.

Gadah musste nicht lange überlegen. „Ja, das werde ich. Sie ist eine gute Frau und verdient es zur Ruhe zu kommen."

„Du auch, Rochard."

Hunerik benutzte seinen Namen, den er vor seiner Zeit ihm Heilerorden getragen hatte. Er klang ungewohnt in seinen Ohren.

„Ich habe noch etwas zu erledigen, bevor das nicht getan ist, werde ich keine Ruhe haben."

„Ich weiß. Du würdest nicht zur Ruhe kommen, bevor du nicht mitten im Getümmel stehst und neben deinen Männern erschlagen wirst."

„Wir werden siegen."

„Du bist unverbesserlich. Jeder halbwegs vernünftige Mann würde angesichts der Bedrohung, die uns bevorsteht, die Beine in die Hand nehmen und so weit wie möglich wegrennen."

„Zu der Sorte Männer gehören wir nicht. Weder du noch ich."

„Wir sind Idioten." Hunerik wollte ein Husten unterdrücken, besann sich aber und stieß zwei bellende Geräusche aus und spuckte blutigen Auswurf über die Brüstung. „Sag nichts."

„Hab ich nicht vor. Du lässt dir ja sowieso nicht helfen."

Gadah spähte weiter in den weißen Dunst. „Hörst du das?", fragte er den Schänder.

Hunerik lauschte angestrengt. „Stiefelschritte."

„Ja. Sie kommen." Gadah lachte auf und knuffte seinen Freund in die Seite wie ein übermütiger Junge. „Sie kommen tatsächlich."

Vor ihnen aus dem Nebel schälten sich gedrungene Gestalten in Sichtweite. Schwer gerüstet mit Brustpanzern, Kettenhemden und schweren Helmen, die Tragejoche für ihre Vorräte geschultert. Eine Reihe nach der anderen tauchte aus dem Nebel auf.

Als Gadah die grimmigen Gesichter der Zwerge erkennen konnte, gab er den Befehl, das Tor zu öffnen. Im donnernden Gleichschritt marschierten die Zwerge in das Lager und stellten sich auf. Er schaute noch einmal in den wabernden Dunst und sah noch mehr Krieger heranmarschieren. Ein nicht enden wollender Strom an Kämpfern stampfte in ihr Lager. Der Boden dröhnte unter ihren schweren Schritten. Die Legionäre kamen aus ihren Baracken, um ihre neuen Kameraden in Augenschein zu nehmen.

„Wunderbar", freute sich Gadah abermals. Er ging die Treppe herunter und stellte sich vor die Reihen der aufmarschierenden Zwergenarmee.

Einer der gerüsteten Krieger verließ die Marschformation und kam auf Gadah zu. Sein Helm war glänzend poliert und es schien, als ob der Mann hoch wie breit wäre. Trotzdem erkannte der Kriegskonsul ihren Weggefährten Holderar unter dem Helm.

Er blieb vor ihm stehen und nahm den Helm ab. „Wir sind da, Kriegskonsul. Jetzt werden dir die Zwerge mal zeigen, wie man mit diesen untoten Bastarden umspringt."

Das leise Aufstöhnen Huneriks ignorierte Gadah.

Nachdem alle Krieger Aufstellung bezogen hatten, traten drei der gerüsteten Gestalten nach vorne und blieben vor Gadah stehen. Der Breiteste von ihnen zog seinen Helm ab und streckte die Hand aus. Im Kriegergruß ergriff Gadah den Unterarm.

„Ich bin Clanführer Goldfuß, ich grüße dich im Namen unserer Armee."

„Mein Name ist Kriegskonsul Gadah. Ich heiße euch willkommen." Er bat Hunerik nach vorne. „Dies ist Centurio Hunerik. Bislang mein Stellvertreter. Er wird deinen Männern die Quartiere zuweisen und ist für die Ausbildung zuständig."

„Sehr gut. Ich bringe noch zwei weitere Clanführer mit." Goldfuß stellte die Clanführer Schildbuckel und Eisenhand vor. Als die Begrüßung abgeschlossen war, lösten sich Gadah und Goldfuß von den anderen um sich unter vier Augen zu unterhalten. In seinem Quartier bot er seinem Gast Speise und Trank an. Goldfuß lehnte ab. „Ich möchte erst die Formalien klären, ich esse dann später mit meinen Männern."

„Gut. Dann fangen wir an. Die Botschafterin wird gleich zu uns stoßen. Sie hat ja die Konditionen ausgehandelt. Also deine Clanführer und du werden in den Stand eines Centurios erhoben. Du wirst mein Stellvertreter und wir rüsten so viele deiner Männer mit dem Schutz vor der Magie aus wie wir können."

„Soweit einverstanden.", stimmte Goldfuß zu. „Du bist der Kommandant und wir geloben dir die Treue."

„Nicht mir. Wir kämpfen gemeinsam für die gleiche Sache und gegen den gleichen Feind. Ich bin nur ein kleiner Heerführer."

„Untertreibe nicht Kriegskonsul. Was Holderar mir erzählt hat, ist nicht das Werk eines kleinen Heerführers."

„Belassen wir es dabei." Gadah lehnte sich in seinem Stuhl zurück und verschränkte die Arme. „Wie viele Männer folgen dir?"

„Ich habe viertausendfünfhundert Mann unter meinem Kommando und unterstelle mich hiermit, samt meinen Männern, deinem Befehl, Kriegskonsul." Goldfuß stand auf und schlug die rechte Faust auf sein Herz.

„Ich danke dir. Ich stelle die Dokumente für die Ernennung für die Clanführer und dich später aus."

Der Zwerg setzte sich wieder. „Was erwartest du von den Offizieren?"

„Ich erwarte bedingungslosen Gehorsam von den Offizieren und den Mannschaften. Wir kämpfen unter der Fahne der Königin von Rhadiala. Deine Offiziere sollten Unteroffiziere aus ihrem Clan wählen. Diese werden in den Stand von Optios erhoben."

„Was geschieht nach dem Feldzug?"

„Nach dem Feldzug wird die gemeinsame Legion aufgelöst und ihr kehrt zu euren Minen zurück. Wir werden uns aber wahrscheinlich der Gnade der Königin ausliefern. Sie hat uns eine Amnestie angeboten."

„Das hört sich fair an." Goldfuß beugte sich auf dem Stuhl nach vorne. „Sag mir, Kriegskonsul, wie schlimm ist es gegen die Untoten? Wir kennen nur die Schilderungen unseres Bruders Holderar."

Gadah überlegte kurz. „Es ist sehr schlimm. Ich werde alle Offiziere in den nächsten Tagen instruieren und dann können wir den gemeinsamen Schlachtplan aushecken. Die Botschafterin und noch ein Adeliger, ebenfalls ein Verbündeter wird an dem Kriegsrat teilnehmen." Gadah räusperte sich und fuhr dann fort. „Noch etwas. Unsere Männer müssen gemeinsam kämpfen und sich kennenlernen. Sie müssen wissen, dass sie sich aufeinander verlassen können in der Gefahr. Das heißt, sie müssen zusammen exerzieren und ihre Stärken und Schwächen kennen. Der Ausbilder für alle ist Centurio Hunerik, den du eben kennengelernt hast. Er ist der Beste für eine gemeinsame Ausbildung."

Goldfuß schwieg zuerst. „Das bedeutet, du willst meine Männer noch ausbilden?"

„Nein, sie sollen voneinander lernen und von dem Wissen und Können der anderen profitieren. Die Zeit ist eh sehr knapp, bis wir ausrücken. Wir sollten sie gut nutzen."

„Einverstanden."

„Gut, den Rest werden wir in großer Runde besprechen. Wir sollten jetzt gemeinsam zu den Männern gehen und ihnen unser Bündnis verkünden."


Marak


Er hasste das reiten. Nicht nur, dass er sich den Hintern wund ritt; nein, er mochte es auch nicht aus seinen Studien herausgerissen zu werden. Als Norderstedt ihm erklärt hatte sie würden in das Lager des gemeinsamen Heeres reiten, arbeitete er sich grade durch ein Buch der Botschafterin. Vor ihrer Abreise hatte er es lesen dürfen. Den Worten der Prophezeiung, auf die er in der königlichen Bibliothek gestoßen war, lauschte sie mit viel Aufmerksamkeit.

„Du bist auf dem Weg ein Gelehrter zu werden, junger Marak", hatte sie ihm gesagt und ihn angelächelt.

Norderstedt ritt vorne weg, sein Mantel lag über den Satteltaschen. Die wärmer werdende Frühlingsluft begann, ihnen den Schweiß aus den Poren zu treiben. Sie trugen etwas wärmere Kleidung, da die Nächte noch empfindlich kalt wurden.

„Wie lange brauchen wir noch?", quengelte Marak.

„Mir scheint, du hast es eilig, junger Gelehrter. Sind dir die Annehmlichkeiten von festen Mauern lieber als ein Ritt an der frischen Luft?"

Marak schwieg lieber, aus Angst vor weiterem Spott. Vier Männer von Norderstedts Leibwache begleiteten sie und lachten.

„Mach dir nichts draus, Marak. Ich ziehe ein gutes Essen mit gutem Wein auch jederzeit einem Ritt vor. Aber manche Dinge muss man selbst erledigen." Norderstedts Hemd spannte um seinen Bauch und verrieten Marak die Wahrheit in seinen Worten.

Schweigen senkte sich wieder über die Gruppe und Marak versank wieder in sein stilles Brüten. Die Prophezeiung ging ihm nicht mehr aus dem Kopf. Er kannte die Worte auswendig:

*Tod. Tod wird durch das Land ziehen. Auf zwei Beinen wird er kommen. Leben wird er auffressen bei lebendigem Leib. Alles Leben wird er verzehren, wenn er einmal Fuß gefasst hat. Niemand kann ihm widerstehen.*

*Ein Mann, nur ein Mann aus beiden Welten kann das Unheil abwenden. Ein Mann, der alles verloren hat. Er beherrscht die Magie und den Stahl. Nur er kann die Macht aufhalten. Der Mann wird nicht unter seinem wahren Namen kämpfen.*

Nur der Name des Mannes fehlte im Bericht des Mönches. Auch die Botschafterin war mehr als interessiert an der Prophezeiung gewesen. Sie wollte genau wissen, in welchem Buch sie stand und aus welcher Quelle sie stammte.

Norderstedt ließ sein Pferd etwas zurückfallen und war jetzt auf einer Höhe mit Maraks Tier. „Worüber denkst du nach?", fragte er ihn.

Marak kaute auf seiner Unterlippe. „Ich denke über die Worte nach, die ich der Botschafterin Feuersturm gesagt habe. Sie lassen mich nicht los."

„Ja, sie sagte mir auch, dass sie die Prophezeiung für wichtig erachtet. Sie war von dem, was du bereits herausgefunden hast, sehr beeindruckt."

Marak nickte. Er hatte einen ähnlich gearteten Bericht in einem weiteren Buch gefunden, was in Norderstedts Bibliothek stand. Zwar war der Text etwas anders verfasst, aber inhaltlich war der Bericht des Mönches mit dem gefundenen Text identisch. In dem neu gefundenen Bericht war eine Priesterin in eine Art Delirium verfallen und eine Schwester ihres Ordens pflegte sie. Sie schrieb die Worte nieder, welche die Schwester kurz vor dem Tod sprach:

*Der zweibeinige Tod wird durch die Lande streifen und sich ausbreiten. Das Diesseits wird sich mit dem Totenreich Kulats verbinden und die Kräfte in das Land der Lebenden lassen. Nur die Wehrhaften werden bestehen und den lebenden Tod aufhalten können. Unter ihnen wird jemand sein, der seinen wahren Namen verleugnet und sich besonders hervortut. Aber ein großer Schmerz wird ihm bevorstehen, wenn er seinen Weg geht.*

Auch diese Worte kannte Marak auswendig. Und auch wenn sie etwas anders verfasst waren, konnte man doch den gleichen Sinn entdecken wie in der ersten Prophezeiung. Diesmal war mehr bekannt über die Verfasserin und das Medium, welches die Worte gesprochen hatte. Zehn Jahre war es her, dass sie verfasst worden war und die im Delirium liegende Schwester war kurz nach den Worten verstorben. Sie war allgemein nicht bekannt dafür gewesen ein Medium zu sein. Und so wie es ihre Mitschwester und Pflegerin niedergeschrieben hatte, war es die erste und letzte Prophezeiung gewesen.

Marak forschte nach seinem Fund weiter und entdeckte mehrere Theorien, wie Prophezeiungen zustande kamen. Einige Theorien verfolgen die These, dass es spontane Eingebungen waren, die durch äußere Einflüsse begünstigt wurden, wie Krankheit, Wetter oder Tränke. Eine andere Theorierichtung besagte, dass in einem kurzen Moment vor dem Tod die Menschen Kontakt zu den Göttern hatten, die dann durch ihre Münder sprachen. Für die letzte Theorie sprach in jedem Fall, dass die beiden Medien kurz vor ihrem eigenen Ableben standen, als sie sprachen.

Mitten aus diesen Studien riss ihn Norderstedt, um ihm zu eröffnen, sie würden zu einem Kriegsrat reisen. Ein gemeinsamer Kriegsrat mit den gemeinsamen Streitkräften der Zwerge und der Menschen. Die Botschafterin Feuersturm hatte Norderstedt durch den Kommunikationsstein darüber informiert und bat um seine Anwesenheit. Marak wusste überhaupt nicht, was er dabei sollte. Viel lieber wäre er in den Gemäuern von Norderstedts Anwesen geblieben und hätte weiter über den Büchern gebrütet. Etwas abseits der kleinen Gruppe ritten Krok und Züleyha, die sich für sich hielten und nur abends am gemeinsamen Feuer mit den anderen saßen. Und auch dann sprachen die beiden nicht viel mit den anderen, was Marak durchaus nachvollziehen konnte. Der Adelige nahm sie gestern zur Seite und redete ruhig aber bestimmt auf Krok ein, der einen aufgebrachten Eindruck machte und von Züleyha beruhigt werden musste. Leider waren sie außer Hörweite und so konnte Marak nicht hören, worum es ging. Allerdings war Krok nach diesem Gespräch noch wortkarger als zuvor. Er überlegte zu fragen, was ihn störte, traute sich aber nicht.

Norderstedt ritt noch neben ihm und riss ihn nochmal aus seinen Gedanken. „Denk daran, im Heerlager bist du in meinem Gefolge. Du bist niemanden außer mir zur Rechenschaft verpflichtet. Was ich als Letztes will, ist eine Verbreitung der Prophezeiung. Du erzählst nur von ihr, wenn ich es dir erlaube, hast du mich verstanden?"

„Willst du mir etwa den Mund verbieten?", fragte Marak müde zurück, obwohl er die Antwort bereits kannte. Nachdem er sich von Uhvar da Vargo verabschiedet hatte, hatte das Schicksal ihm einen neuen Herrn zugeteilt. Manche Menschen schienen dazu bestimmt, im Schatten anderer zu stehen. Dies war Marak klar geworden, als er in seinen Studien vertieft über den Büchern brütete.

„Ich werde mich dran halten, Norderstedt. Ich erzähle nichts, außer du erlaubst es mir."

„Das beruhigt mich. Weißt du, wir müssen dafür sorgen, dass unsere gemeinsamen Streitkräfte ruhig bleiben und sich auf ihre Anführer verlassen. Wenn sie auf jemanden warten, der eine Art Erlöser sein soll, könnte es sein, dass sie die Gefolgschaft verweigern."

Marak wurde klar, was der Adelige meinte.

„Auf der anderen Seite könnte es aber auch sein, dass Warten vernünftig ist, wenn man unter einem anderen Anführer zum Sieg eilen kann."

Norderstedt lachte. „Die Botschafterin hat recht. Du bist wirklich ein Gelehrter. Wenn wir das hier überleben, werde ich dich unter meine Fittiche nehmen und studieren lassen."

Marak war unentschlossen, ob er sich freuen oder ärgern sollte. Wieso wurde er nicht erst gefragt, was er wollte, sondern es wurde über ihn verfügt.

„Ich werde darüber nachdenken", antwortete er.

„Tu das. Erst mal geht es darum, den Sieg davonzutragen." Er trieb sein Pferd wieder an und ritt voraus.

Thom

„Um die Kontrolle des Körpers zu erlangen, musst du die Kraft der fremden Seele fest in der Hand halten, so wie dir Zügel eines Pferdes, welches du reitest." Der Todesfürst führte aus, was Thom nun umsetzen sollte und er hörte aufmerksam zu. „Ein toter Körper empfindet keinen Schmerz, keinen Hunger oder Kälte. Er ist wie ein willenloses Werkzeug, was sich in deinen Händen befindet. Wie dein Schwert, mit dem du so vorzüglich umzugehen verstehst."

Thom warf einen kurzen sehnsuchtsvollen Blick auf Mindokar, was achtlos auf dem Boden lag. Der Todesfürst hatte es ihm zwar nicht befohlen, aber Thom wusste, dass er es hier nicht tragen sollte. Hier war die Waffe eine Andere: Die Kraft, die die Nekromanten aus dem Seelenreich zogen.

Der Todesfürst fuhr fort. „Es gibt nun zwei Wege, sich der Seele eines anderen Lebewesens zu bemächtigen. Entweder sie gibt sich dir hin oder du unterwirfst sie mit purer Gewalt. Der erste Weg ist der etwas einfachere Weg und fußt auf Vertrauen zwischen der Seele und ihrem neuen Herrn. Der andere Weg ist der etwas schwierigere, aber mit etwas Übung kann man ihn auch beschreiten.

Die Kunst der Nekromantie ist wie eine Waffe und als solche wurde sie auch entwickelt. Anstatt sich selbst die Schädel einschlagen zu lassen, war die Idee der damaligen Magier, untote Geschöpfe an ihrer Stelle kämpfen zu lassen. Aber die Mehrzahl der Menschen war zu verblendet. Sie lehnten die Nekromantie ab. Ein Auswuchs grenzenloser Dummheit." Der Todesfürst ereiferte sich und legte seinem neuen Schüler seine Gedanken dar. „Aber mein ehemaliger Meisterschüler hat die Kunst aufrecht erhalten und an ihr gefeilt. Nachdem er mich aus Khulats Reich befreit hat, werden wir nun gemeinsam diese verblendeten Lebenden ausmerzen und sie unterjochen."

Der Todesfürst unterbrach sich und schaute Thom an. „Verstehst du, was ich dir sage?"

„Du willst mir sagen, dass jeder, der sich gegen dich stellt, sterben wird und dir zukünftig als Untoter dienen wird."

„Du bringst es auf den Punkt. Also wage nicht mich zu verraten, sonst wird es dir genauso ergehen, wie all den anderen Narren, die versuchen unser Heer aufzuhalten."

„Es ist ihnen aber schon einmal gelungen", gab Thom zu bedenken.

„Ja, weil unsere Geschöpfe noch nicht die vollkommene Stärke erreicht hatten. Die nächste Schlacht wird anders ausgehen. Unsere Geschöpfe sind nicht nur stärker, sondern auch gelenkiger und mit den Nekromanten, die sie beherrschen, kann kein Heer im Land dieser schieren Masse widerstehen."

„Einer toten Masse."

„Nicht tot. Ihre Seelen sind auch dabei. Ihre Seelen sind unter der Kontrolle meiner Brüder. Und du weißt was es bedeutet mit Seelen Kontakt zu haben, du warst bereits im Seelenreich. Ich fühle es mit jeder Faser dieses Körpers."

„Ich war dem Tode nah, das stimmt."

„Was hast du gesehen, als du auf de anderen Seite warst?"

Thom schluckte schwer. Er wollte auf keinen Fall dem Todesfürsten erzählen, dass er seiner Familie und Lydia begegnet war.

„Denk nicht so lange nach über eine Lüge. Sag mir, was du gesehen hast und wem du begegnet bist."

„Meinem Vater", erklärte Thom wahrheitsgemäß.

„Und wem noch?", bohrte der Todesfürst nach.

Thom bekam einen trockenen Mund. „Meinem Bruder, meiner toten Frau und meiner Mutter."

„Was hast du empfunden?"

„Glückseligkeit habe ich empfunden. Meine Familie, die ich verloren geglaubt habe. Ich hatte nicht daran geglaubt sie zu sehen."

Sein Gegenüber nickte. „Wäre es nicht schön, sie hier bei sich zu haben?"

„Wie soll das gehen? Ich bin unter den Lebenden und sie sind im Reich der Toten."

Die Stimme des Todesfürsten war jetzt einschmeichelnd und süß. „Wenn sich die Welten vermischen, werden die verlorengeglaubten Menschen nah bei einem sein. Es wird keinen echten Tod mehr geben."

„Aber wird es noch echtes Leben geben?"

„Das ist vollkommen irrelevant, weil ich der Herrscher über alles sein werde. Egal ob lebend oder tot."

„Du vergisst den Gott des Seelenreiches, Khulat. Was ist mit ihm? Ich glaube nicht, dass er dir dabei zuschauen wird, wie du ihm die Mach stiehlst."

Der Todesfürst lachte laut auf. „Khulat wird nur so lange im Besitz seiner Macht sein, wie die Welten getrennt sind. Durch das Verbinden der Welten wird er nicht mehr sein, als ein Kind mit besonderen Fähigkeiten."

Thom dachte an den Gott des Seelenreiches und an seine Worte. Wenn die Welten sich vermischten, würde alles Leben untergehen. Er fasste einen Entschluss und konzentrierte sich auf eine der Öllampen, die den Raum erhellten. Er fühlte die Kraft, die er durch die Flamme erhielt und sog die auf. Der Bastard sollte brennen. Seine kraft wuchs er formte eine wahre Feuersbrunst, die er jeden Moment loszulassen gedachte.

„Wenn du glaubst, ich fühle nicht, was du da machst, bist du falsch gewickelt. Du vergisst, ich bin einer der stärksten Magier, die über die Welt wandelt." Der Todesfürst wirbelte herum und seine schwarzen Augen glühten.

Thom fühlte, wie ihm die Macht entrissen wurde. Nichts war mehr vorhanden. Ein Gefühl, als ob ihm der Boden unter den Füßen gezogen würde.

Der Todesfürst zuckte mit einem Finger und er verlor tatsächlich den Boden unter den Füßen, wurde emporgehoben und gegen die nächstgelegene Wand geschleudert. Eine unsichtbare Macht hielt ihn dort so fest, dass er noch nicht einmal mehr blinzeln konnte.

„Du erinnerst dich, was dir vorhin gesagt habe?", dozierte der Todesfürst weiter im ruhigen Ton. „Entweder die Seele unterwirft sich freiwillig oder man unterwirft sie mit Gewalt."

Thom spürte, wie ein flaues Gefühl sich seines Magens bemächtigte.

„Ich gebe zu, man muss dir Respekt vor deinem Mut und deiner Kühnheit zollen. Aber du kannst nicht ernsthaft damit gerechnet haben, mich mit dieser plumpem Magie überrumpeln zu können."

Er wollte etwas sagen, seine Wut hinausschreien, aber seine Zunge war genauso gelähmt, wie der Rest seines Körpers.

„Ah, du möchtest etwas sagen."

Thom fühlte, wie sich seine Zunge wieder bewegen ließ. „Ich bin hierher gekommen, um dich zu vernichten. Du bist dafür verantwortlich, dass alle, die ich geliebt habe, tot sind."

„Ja ja, die Gefühle. Menschen sind so unglaublich von ihnen abhängig, dass ihnen jedes vernünftige Denken abhanden verloren geht. Du wirst als Geschöpf einen guten Diener meiner Sache abgeben. Und du wirst sogar deine Fähigkeiten behalten. Du wirst nicht richtig sterben, nicht verwesen wie die anderen Geschöpfe. Aber du wirst mir gehören."

„Nein", schrie Thom, „Ich will nicht."

„Das", der Todesfürst kam näher, „liegt jetzt nicht mehr in deiner Hand."

Er fühlte, wie der Feind in seinen Geist vorzudringen versuchte, zunächst ganz leicht, wie ein kalter Tropfen Wasser, der in einen Becher warmen Wein tropfte. Es wurde mehr und mehr, jetzt kam es nicht mehr tröpfchenweise, sondern ein beständiger kalter Strom. Dann war es ein eiskalter Sturzbach, der durch Thoms Körper stürzte und seine Seele erkalten ließ.

Gadah

„Meine Herren, mit Hilfe der Botschafterin haben wir ein Modell der Nekropole hergestellt, anhand dessen wir unseren Schlachtplan ausarbeiten können. Die Verhältnisse im Inneren der Stadtmauer konnten wir mit Norderstedts Wissen bauen." Gadah deutete auf die Modelle, die auf dem großen Tisch aufgestellt worden waren.

Um den Tisch herum saßen die Offiziere der gemeinsamen Streitkräfte aus Zwergen und Menschen, sowie die Botschafterin und von Norderstedt. Jeder der Anwesenden hatte vor der Besprechung einen von Centurio Nimius gezeichneten Plan erhalten, der die Nekropole und deren Umgebung zeigte. Obwohl Gadah nichts von dem dicken Offizier hielt, hatte er doch ein Talent im Umgang mit Tinte und Pergament bewiesen. Seine Zeichnungen, nach von Norderstedts Vorgaben waren nahezu perfekt.

„Wir haben die Pläne eingehend studiert", meldete sich Goldfuß zu Wort, „Hier auf den Plänen sind magische Fallen verzeichnet. Welcher Art sind diese Fallen?"

Von Norderstedt antwortete auf die Frage. „Die Erbauer der Stadt waren mit ihrer Magie der unseren weit überlegen. In den alten Plänen sind Fallen verzeichnet, wenn auch nicht alle, aber welcher Art sie sind, kann nicht gesagt werden."

„Das klingt ja vielversprechend", murrte Eisenhand. „Und diese Amulette sollen uns davor schützen?"

„Vor normaler Magie schützen sie zuverlässig." Gadah wollte nicht mit den Zwergen über die Schutzwirkung der Amulette diskutieren, obwohl er verstehen konnte, dass sie Zweifel daran hegten.

„In die Nekropole einzudringen wird also kein Kinderspiel." Schildbuckel nahm einen Schluck Bier. „Wie stellt ihr euch vor die Angstmauer zu überwinden?", wollte er wissen.

Norderstedt räusperte sich. „Es gibt eine Art Korridor, eine Lücke in der Mauer, durch die man gefahrlos marschieren kann."

„Das mag vielleicht mit zwei oder drei Leuten funktionieren, aber mit einem ganzen Heer durchzumarschieren wäre reiner Selbstmord." Goldfuß Gesicht sprach Bände, was er von der Idee des Adeligen hielt.

Schweigen senkte sich über die Offiziere, als ihnen klar wurde, dass es kein Eindringen abseits der Angstmauer geben würde.

Schildbuckel beugte sich über den vor ihm liegenden Plan und studierte ihn. „Was sind denn das für eingezeichnete Minen außerhalb der Mauern?"

Norderstedt deutete auf seinen Plan. „Das ist die Kanalisation."

Goldfuß schaute auf. „Wie groß ist diese Kanalisation?"

Norderstedt zuckte mit den Schultern. „Dem Verhältnis in den Plänen nach zu Urteilen mannshoch."

Gadah lächelte. „Also groß genug, wenn ich deine Gedanken richtig errate."

Die Zwerge lächelten alle wissend.

Hunerik wischte sich mit der Hand durchs Gesicht. „Ich glaub es nicht. Wir wollen eine Stadt erobern und die Zwerge suchen sich einen Tunnel in dem sie durch die Scheiße kriechen müssen."

Holderar schlug seinem Kameraden auf den Oberschenkel. „Ich kann dich aber beruhigen. Wir sind kleiner."

„Was soll mich daran beruhigen?"

„Wir sind näher an der Scheiße als du."


Der Kriegsrat tagte bis tief in die Nacht. Sie beschlossen ihre Streitkräfte zu teilen. Die mit Amuletten ausgerüsteten Krieger sollten durch die Kanalisation in die Stadt eindringen, während Hunerik mit der Botschafterin einen Scheinangriff auf das Stadttor führen würden. Die Botschafterin sollte dabei die Zwerge vor der Magie der Feinde schützen. Als der Kriegsrat beendet war, blieben Hunerik, Gadah mit Norderstedt und der Botschafterin sitzen. Holderar war mit seinen Zwergenbrüdern in ihre Unterkünfte gegangen.

„Glaubt ihr ernsthaft, dass dieser Plan funktioniert?", fragte Norderstedt.

„Was? Das wir durch die Scheiße kriechen sollen, um dem Feind in der Stadt zu überraschen?" Hunerik hustete keuchend und wischte sich unauffällig einen Blutstropfen von den Lippen.

Gadah merkte, dass seine Hustenattacken immer häufiger kamen und sein Freund im Gesicht fahler geworden war. „Wir müssen daran glauben, dass es funktioniert. Einen besseren Plan haben wir nicht."

„Ich glaube, wir werden es schaffen, wenn wir unseren Mut zusammen nehmen und nicht aufgeben." Die Botschafterin saß in ihrer ganzen Schönheit neben Gadah.

Er sah sie mit offenem Interesse an. „Ist es eigentlich noch möglich, Verstärkung von deiner Königin zu erhalten? Ein paar Einheiten der überlegenen Zaubervölker würden uns guttun. Ich zweifel nicht am Mut und der Kampfkraft unseres Heeres, aber ich befürchte, dass unser Feind uns zahlenmäßig überlegen ist. Wir dürfen auch nicht vergessen, dass wir ein zweites Heer aus Untoten in der Hauptstadt im Rücken haben; und wir können es uns nicht leisten, zwischen zwei Heeren aufgerieben zu werden."

Atriba leckte sich über Lippen. „Für das Heer in der Hauptstadt haben wir uns etwas anderes ausgedacht, was in der Nekropole nicht funktionieren würde. Allerdings ist dies in Anbetracht der Tatsachen eine Reise ohne Wiederkehr."

„Warum?", hakte Gadah nach.

„Die Abwehrmagie der Nekropole ist zu stark, als dass wir unsere Spezialwaffe dort einschleusen könnten. Hier können nur deine Zauberjäger helfen. Die Hauptstadt hat zwar auch eine Abwehrmagie, allerdings nur gegen eine unmittelbare Einwirkung, wie einen Feuersturm oder Ähnliches. Die Magie, die wir loslassen können, würde von innen heraus gewirkt werden müssen."

„Verstehe ich das richtig? Jemand muss in die Stadt reiten und dort etwas auslösen, was ihm den Arsch wegbläst?"

Atriba nickte leicht. „Ja, darauf würde es hinauslaufen."

„Warum können die, ach so überlegenen, Zaubervölker eigentlich nicht Soldaten zur Verfügung stellen, um uns zu unterstützen?" Gadah kramte seine Pfeife und seinen Tabak hervor und begann, sich seine Pfeife zu stopfen.

Die Botschafterin wischte mit ihren Händen über ihr dunkelgrünes Kleid. Kurz nagte sie an ihrer Unterlippe.

„Botschafterin Feuersturm, wir haben mit offenen Karten gespielt und uns in die Hand der Königin begeben. Ich glaube, wir haben ein Recht darauf, alles zu erfahren."

Norderstedt und Atriba tauschten einen kurzen Blick. Dann antwortete sie. „Meine Königin hat nicht die politische Macht, noch einmal Soldaten in dieses Land zu senden."

Gadah hielt mitten im Anzünden der Pfeife inne. „Was hast du da gerade gesagt?"

Atriba fuhr fort, als sie die fragenden Gesichter der Runde sah. „Die Königin ist in unserem Land zwar die oberste Herrscherin, aber die eigentliche Macht liegt beim Rat. Dort sitzen die Adeligen und sie sind diejenigen, die das eigentliche Tagesgeschehen bestimmen."

„Und die Zusagen der Königin, was uns betrifft?", fuhr Hunerik auf.

„Die sind verbindlich und unabänderlich. Auch wenn meine Königin in vielen Dingen vom Rat abhängig ist, ein gegebenes Wort nimmt auch der Rat nicht zurück. Die Mobilmachung der Armee muss vom Rat abgesegnet werden. Und die Adeligen sind im Moment nicht der Meinung eingreifen zu müssen. Sie wollen ihre Leute wieder bei sich haben, ihre Felder müssen bestellt werden, ihre Ländereien in Schuss gehalten werden. Wir sind zwar dem hiesigen Volk durch die Magie überlegen, aber zahlenmäßig sind wir euch unterlegen. Unser Land braucht unsere jungen Menschen."

Gadah blies einen Rauchkringel nach oben. „Kurzum, unsere jungen Männer sollen lieber den Kopf hinhalten als eure."

„Das klingt härter, als es gemeint ist", mischte sich Norderstedt ein, „Wir werden nach diesem Krieg ein Volk sein. Seht es als Probe an, ob ihr stark genug seid, in unserem Reich aufzugehen."

Hunerik zog sich einen halbvollen Krug mit Bier heran, den Holderar hatte stehen lassen. „Ihr kotzt mich an", stellte er kurz fest und trank in großen Schlucken.

„Fakt ist, unsere Königin kann im Moment keine Soldaten entsenden. Und ich gebe euch mein Wort, sie würde es gerne. Als Ausgleich dafür werden Norderstedt und ich euch aktiv unterstützen."

„Akzeptiert", beschloss Gadah. „Aber jetzt erkläre bitte noch mal, was es mit der Hauptstadt auf sich hat. Was für eine Art Magie ist es, dir dort ausgelöst werden muss?"

„Es müssen zwei Pulver vermischt werden, deren Magie zusammen reagiert und eine Art Explosion auslösen. Es ist so, als ob die Sonne vor dir wäre." Atriba schaute Gadah an. „Aber so weit ist es noch nicht. Die Pulver werden von Boten hierher gebracht. Es muss nur noch von jemandem in die Stadt gebracht werden."

„Einer meiner Männer muss sich also opfern. Habe ich das richtig verstanden?" Gadah schaute streng.

„Es gibt keinen Weg es schön auszudrücken. Ja! Jemand muss vor Ort die beiden Pulver zusammenmischen und reagieren lassen", sagte Norderstedt.

„Das war zumindest eine ehrliche Antwort." Gadah nahm noch einen Zug aus der Pfeife und legte sie dann weg. „Wir müssen morgen im Morgengrauen aufbrechen. Ich schlage vor, wir suchen alle unsere Betten auf und versuchen so viel Schlaf wie mögliche zu bekommen." Er stand von seinem Stuhl auf und klopfte seine Pfeife aus. Hunerik stand ebenfalls auf und ging hinaus. Gadah folgte ihm ohne Abschiedsgruß.

Eine mürrisch dreinblickende Botschafterin blieb mit Norderstedt zurück.

Holderar

„Dieser Kriegskonsul ist ein harter Hund. Ein wahrer Krieger und Anführer." Schildbuckel gab die Flasche mit Zwergenschnaps an Eisenhand weiter und rülpste laut. „Diesem Norderstedt traue ich allerdings nicht über den Weg. Er erzählt nur das, was er unbedingt muss. Ich mag ihn nicht. Und diese Botschafterin ist auch mit Vorsicht zu genießen. Sie steht uns zwar zur Seite und soll unsere Männer schützen, aber sie dient ihrer Königin."

„Was man ihr nicht zum Vorwurf machen kann", warf Goldfuß ein. „Jemandem zu dienen, ist nichts, wofür man sich schämen müsste."

„Gesprochen von einem Mann, der sehr weit oben steht und wenige über sich hat", sagte Holderar.

Silberarm lachte und nahm die Flache in Empfang.

„Ist es denn verwerflich, sich einem Anführer unterzuordnen?", fragte Goldfuß.

„Nein, es ist keine Schande, sich einem guten Anführer unterzuordnen. Mein Bruder Pildar war einer dieser Männer, dem sich andere nur zu gerne untergeordnet hatten. Er war dabei weder der Beste mit der Axt oder der Klügste. Er war auch nicht der Verschlagenste von allen oder der beste Planer. Aber er hatte etwas von allem und er hatte etwas an sich, was andere Männer dazu brachten ihm zu folgen: Charakter und Durchsetzungswillen. Ich sehe das auch in dir, Goldfuß. Du kannst ein großer Anführer unseres Volkes werden, wenn du König wirst. Aber zuerst muss das Schicksal der Königin rächen. Nur wenn diese Schmach von unserem Volk genommen wird, bist du ein würdiger Nachfolger."

„Für einen stellvertretenden Rottenführer sprichst du wahre Worte", sagte Silberarm.

„Ich bin kein Rottenmitglied mehr. Meine Rottenbrüder sind umgekommen. Ich bin nur noch ein einfacher Zwerg in deinem Heer, der auf Rache sinnt."

„Du bist mehr, du bist derjenige, der dieses Bündnis maßgeblich geformt hat. Ohne dich hätte der Clanrat das Ersuchen der Botschafterin einfach weggefegt wie ein Orkan einen Furz. Dein Wort und deinem Einsatz ist es zu verdanken, dass wir hier heute am Vorabend des Feldzuges sitzen und Rache nehmen können für unsere Königin." Goldfuß Blick wurde sanft. „Und auch um das Fortbestehen des Zwergenreiches zu sichern. Mit den Menschen Schulter an Schulter werden wir für eine lebende und friedliche Welt streiten. Unsere Clans sind zerstritten, die wichtigste Aufgabe nach dem Kampf wird sein, sie zu einen und für Versöhnung zu sorgen."

„Gesprochen wie ein zukünftiger König", lobte Schildbuckel. „Aber wir müssen zuerst einmal den Sieg erstreiten. Nach dem was die Langen uns vorhin erzählt haben, besteht auch durchaus die Möglichkeit den Arsch versohlt zu bekommen und im Magen von irgendwelchen Untoten zu verschwinden."

„Darauf wollen wir trinken." Goldfuß erhob sich von seinem Platz und hob die Flasche, die ihn erreicht hatte. „Auf die Rache und auf tapferen Männer unserer Rotten. Für die Rotte und die Königin"


Luzil

Sein Mund war so trocken, als ob er Sand gekaut hätte. Der Centurio nahm seinen Mut zusammen und klopfte an die Türe. Fast wäre er selbst zusammengezuckt vom Klopfen, aber jetzt kam es kein Zurück mehr. Er hörte die Schritte hinter der Türe und einen Augenblick später umgab ihn der Lichtschein aus dem Inneren der Holzbaracke.

Vor ihm, im Lichtkegel, stand Isela vor ihm. Sie trug weite Männerhosen und ein dunkelblaues Oberteil aus dickem Stoff.

„Guten Abend, Isela", brachte der Centurio leise hervor.

Für einen Herzschlag schien sie unentschlossen, wie sie regieren sollte, aber letztendlich lächelte sie sanft. „Guten Abend, Centurio Luzil. Willst du mich wieder zu einem kleinen Duell auf Schießscheiben herausfordern."

Luzil musste grinsen, obwohl ihm eigentlich nicht danach zumute war. „Ich wollte mit dir sprechen."

Im Schein des Lichts erschien Milana und begrüßte den Centurio. „Ich gehe davon aus, du willst Isela alleine sprechen." Sie nahm ein Tuch und legte es sich über die Schultern. „Ich wollte eh gerade gehen." Sie drückte sich an Isela und dem Centurio vorbei und verschwand in die Dunkelheit.

Unbeholfen stand Luzil vor der Türe und schaute Isela an.

„Komm, herein, ich denke du willst nicht den ganzen Abend vor der Türe stehen bleiben." Sie trat zur Seite und machte Platz, um ihn hereinzulassen.

„Danke", murmelte der Centurio und nahm seinen Helm ab. „Mein Dienst für heute ist beendet und morgen werden wir in aller Frühe aufbrechen."

„Ja, ich hörte es. Die Vorbereitungen sind abgeschlossen und die Männer warten drauf, dass es endlich los geht. Sie wollen endlich in den Kampf."

„Du auch?" Sie zog sich einen Stuhl heran und setzte sich.

Ohne auf ein Angebot zu warten, ließ sich Luzil auf einer Bank nieder, die vor dem Kamin stand. „Ich bin Soldat und meinem Eid verpflichtet. Wenn mein Kommandant mir einen Befehl gibt, dann muss ich ihm folgen, auch wenn mein Herz etwas anderes wünscht."

„Die Männer halten viel von dir. Sie sprechen mit großem Respekt von dir, ich glaube. unter Soldaten ist dies ein großes Lob."

„Ja, das ist es. Von seinen Männern nicht akzeptiert zu werden, würde alles erschweren." Er schluckte schwer. „Isela, ich weiß nicht, ob ich aus diesem Kampf zurückkehren werde.

Aber ich möchte dich fragen, ob ich damit rechnen kann, von dir mit offenen Armen empfangen zu werden."

Sie schlug die Augen nieder. „Luzil, du bist ein starker Mann, den sich eine Frau nur an ihre Seite wünschen kann. Aber du weißt auch, dass mein Herz einem anderen gehört."

„Ich weiß. Aber genauso weißt du auch, dass dich Thom nicht erhören wird."

Ihr Gesicht wurde hart. „Wie selbstsüchtig dein Ansinnen ist."

„Wenn man liebt, ist Selbstsüchtigkeit durchaus legitim." Seine Hand krampfte sich um den Kinnriemen seines Helmes, den er festhielt. „Ich liebe dich und schäme mich nicht dafür. Ich will jetzt kein ja oder nein von dir hören, weil ich weiß, wie es um dein Herz steht, aber sag mir zumindest, ob ich darauf hoffen darf, nach dieser Schlacht von dir eine Chance zu erhalten."

„Du bist hartnäckiger, als ich dachte."

„Hartnäckigkeit ist notwendig, wenn man im Hintertreffen ist. Kann ich hoffen?"

Isela schwieg für einen Augenblick, bevor sie antwortete. „Ja, du darfst zu mir zurück. Aber erhoffe dir nicht mehr als Freundschaft von mir."

Es war nicht ganz, was er sich erhofft hatte, aber besser als gar nichts. „Ich danke dir, Isela", sagte er und wandte sich zum Gehen.

„Warte!" Isela griff nach seinem Unterarm und hielt ihn feste. „Bleib am Leben, bleib mir ja am Leben. Ich habe schon zu viele Menschen verloren, als dass ich noch weitere Verluste ertragen könnte." Sie stellte sich auf die Zehenspitzen und hauchte ihm einen Kuss auf die Wange. „Bleib am Leben"

Er war so klug, nicht nach ihr zu greifen und sie zu küssen. Als ihre Lippen seine Wangen verließen, pochte sein Herz wild. „Ich werde lebendig wiederkommen, versprochen."

Olizu

Seine Hände zitterten und der kalte Schweiß stand ihm auf der Stirn. Vorhin hatte er sich noch vor seine Baracke auf den Boden übergeben und gehofft, dass ihn niemand der Mannschaften ihn gesehen hat. Das frische Wasser in der Waschschüssel benutzte er, um den sauren Geschmack aus dem Mund zu spülen. Schwer atmend setzte er sich anschließend auf sein Bett und begann die die Rüstung abzulegen. Klirrend fiel der Schutz auf den Boden.

Er streckte die Arme aus und betrachtete die weiße Haut, die seinen Körper umgab. Es war wie ein Fluch in seinem Leben gewesen. Er hatte Glück gehabt, dass ihn seine Mutter als Säugling vor seinem Vater beschützt hatte, denn wenn es nach ihm gegangen wäre, hätte der Junge nicht seinen ersten Schrei getan, sondern wäre mit der Katze zusammen im Bach ersoffen worden. Als Junge war er den Hänseleien seiner Altersgenossen ausgesetzt, den Schlägen auf der Straße und den Schlägen seines Vaters, der nach ihm keinen weiteren Sohn mehr gezeugt hatte.

Im Alter von fünfzehn hat sein Vater ihn dann vor dem Tor der nächstgelegenen Garnison abgesetzt und davor gewarnt nochmal zu Hause zu erscheinen.

„Die da drinnen werden einen Mann aus dir machen." Mit diesen Worten fuhr sein Vater auf dem klapprigen Fuhrwerk davon und verschwand aus seiner Sicht. Alleine und klapperdürr blieb er alleine vor dem Tor der Garnison zurück. Nach Hause konnte er nicht mehr zurück. Er zweifelte nicht dran, dass sein Vater ihn erschlagen würde, wenn er ihm nochmal unter die Augen treten würde. So ging er zu den Wachposten und meldete sich. Der Wachposten lachte trocken. „Optio, hier ist ein Milchgesicht, was Krieg spielen will."

Ein schmaler Mann kam hinter dem Wachposten hervor. „Ich sehe schon. Milchgesicht ist wörtlich zu nehmen."

Der Wachposten lachte wieder.

Olizu senkte den Kopf und wollte gehen.

„Warte", rief der Optio. „Komm mal her."

Olizu ging zu dem Soldaten.

„Du willst also Legionär werden", stellte der Optio fest.

Der junge Albino zuckte nur mit den Schultern.

„Na, Begeisterung sieht ja anders aus. Ich habe eben gesehen, was passiert ist. Dein alter Herr hat dich hier abgesetzt, richtig?"

Wieder zuckte Olizu mit den Schultern.

Der Optio schnaufte durch die Nase. „Na komm mal mit, ich glaube, du kannst erst einmal was zu essen gebrauchen. Danach stellen wir dich dem Centurio vor. Der wird entscheiden, ob du dich einschreiben darfst. Du scheinst bislang nicht viel mit deinen Armen gearbeitet zu haben." Er fasste den Jungen sanft in den Nacken und führte ihn sanft ins Innere der Garnison.

Der Centurio nahm ihn. Er war alt und knorrig aber ein gutherziger Mann. „Ich nehme dich vorerst als Burschen. Und wenn du etwas mehr Fleisch auf den Rippen hast, übergebe ich dich den Händen unseres Optios Urias. Er wird aus dir einen guten Soldaten machen. Und wenn du dich gut machst, wirst du hier eine neue Familie finden."

Die Versprechungen des Centurios bewahrheiteten sich. Zwar gab es einige Rekruten, die ihm das Leben schwer machen wollten, aber die Mehrzahl der neuen Kameraden nahmen ihn freundlich auf.

Seine Fähigkeiten zu rechnen und zu schreiben beschieden ihm einen beständigen Aufstieg in der Hierarchie. Aber die Angst blieb. Vor jeder Schlacht stülpte sich ihm der Magen um und seine Eingeweide rumorten. Schlafen! Das würde ihm helfen. Müde und zitternd legte er sich auf den Rücken und schloss die Augen. Er hoffte so der Angst entgehen zu können.

Krok

„Hast du alles bereit gemacht für morgen?" Züleyha lag auf dem gemeinsamen Bett, die Hände hinter dem Kopf verschränkt.

Krok brummelte etwas vor sich hin, packte aber die Satteltaschen seiner Geliebten und sich.

„Bist du sauer?"

„So eine Frage kann auch nur von einer Frau kommen. Ja, ich bin sauer. Wieder einmal haben wir uns von ihm breitschlagen lassen, ihm zu helfen."

„Diesmal ist es anders. Diesmal sind wir seine Leibwächter. Und es ist das letzte Mal, er hat es gelobt."

Krok schwieg und wandte sich wieder seiner Arbeit an den Satteltaschen zu. „Ich mache das nur dir zuliebe", sagte er schließlich. „Wenn er mich alleine darum gebeten hätte, wäre ich schneller im Sattel gewesen, als du ein Messer gezogen hättest und wäre davon geritten."

„Ich weiß das zu schätzen."

„Das ist alles, was du dazu zu sagen hast? Du weißt es zu schätzen?"

Sie schwang die Beine vom Bett und stand auf.

„Erzähl mir jetzt bitte nicht, dass es das letzte Mal ist."

Sie ging zu ihm und legte ihm die Hände auf die Brust, schmiegte sich an ihn. „Diesmal ist es nicht für ihn oder für irgendwen, mein Liebster. Diesmal ist es für uns, damit wir in Frieden leben können mit unserer Kleinen."

Er kniff die Augen zusammen. „Ich bin so müde. Ich will einfach nur noch meine Ruhe haben."

„Die werden wir haben. Wir halten Norderstedt den Rücken frei und halten uns aus dem gefährlichsten Getümmel heraus."

„Es kann ganz schnell eine heiße Sache werden, und das weißt du."

„Das werden wir auch noch überstehen. Wir gehören diesmal nicht zur kämpfenden Truppe, vergiss das nicht."

Er tätschelte ihr mit seiner gesunden Hand den Arm. „Ja. Und wenn wir es hinter uns gebracht haben, holen wir Zara und machen uns auf und davon."

„Ich will die nächsten zehn Jahre keine Menschen mehr sehen. Seien es tote oder lebendige."

„Mich wirst du aber ertragen oder?" Sie gab ihn einen Kuss auf den Scheitel.

„Dich und unsere Kleine. Aber der Rest der Menschheit soll wegbleiben." Er verschnürte die Satteltaschen und legte sie beiseite. „Ich habe jetzt alles."

„Dann lass uns ins Bett gehen, ich will dich heute Nacht spüren."

Er roch das Leder ihrer Kleidung und ihren sanften Schweißgeruch. Wenn es eines auf der Welt gab, wessen er sich sicher sein konnte, war seine Liebe, die er zu dieser Frau empfand. „Ich komme gleich. Lass mich nur nochmal nachsehen, ob unsere Klingen scharf genug sind."

„Das hast du bereits dreimal kontrolliert. Unsere Klingen sind so scharf, dass sie bereits meinen Blick zerschneiden. Komm ins Bett."

Ergeben ließ er den Kopf sinken, während sie begann ihm von hinten das Hemd aufzuknöpfen. „Ich komme. Du gibst ja eh keine Ruhe vorher."

„Davon kannst du ausgehen."

Milana

„Bist du nicht müde?"

Er schüttelte den Kopf und sog an seiner Pfeife. Er saß auf dem Bettrand, mit nacktem Oberkörper.

Sie fuhr mit Fingerspitzen seinen Rücken entlang und stützte ihren Kopf mit der freien Hand. Ihr Sohn schlief tief und fest in seinem Zimmer und sie genoss die letzte Nacht mit Gadah vor dem Feldzug. „Was ist los? Hast du Zweifel?"

„Das ist es nicht. Ich denke an Thom. Ich habe ein ganz dummes Gefühl."

„Du hast dir doch noch nie Sorgen gemacht um ihn."

Er schaute sich um und sah Milana, wie sie mit zerzaustem weißen Haaren hinter ihm lag. Ihre flache Hand lag zwischen seinen Schulterblättern.

„Diesmal ist es anders. Ich habe die Befürchtung, er will etwas dummes tun und ist in Schwierigkeiten geraten."

„Bis jetzt konnte er sich immer aus seinen Schwierigkeiten selbst befreien. Er ist doch ein Zauberer."

„Ja, aber mein Bauchgefühl sagt mir, es stimmt etwas nicht."

Sie setzte sich auf und die Bettdecke rutschte ihr vom Körper. Bis zur Hüfte entblößt saß sie hinter ihm. „Thom wird sich schon zu helfen wissen. Du hast immer große Stücke auf ihn gehalten."

Gadah klopfte die Pfeife in seiner Hand aus und ließ den Ascherest zu Boden fallen. „Du hast recht, ich sollte schlafen." Er legte sich zurück und nahm Milana in den Arm.

„Hast du Angst?", fragte sie Gadah.

„Eine komische Frage von dir an einen alten Soldaten." Er klang nicht böse, eher amüsiert. Er schwieg und genoss ihre Gegenwart. „Ja, ich habe Angst. Nur ein Idiot hätte keine Angst am Vorabend eines Kampfes. Nur jeder geht anders damit um."

„Du strahlst eine Ruhe aus, um die dich alle Welt beneiden würde."

„Der eine trinkt, der andere hurt und ein anderer pisst sich vor Angst in die Hose. Jeder hat sein Rezept seine Angst zu überwinden. Ich mache mir meine Gedanken."

„Dann lass uns daran arbeiten, dass du deine Gedanken für diese Nacht vergisst."

Er atmete tief ein. Ja, das wäre gut. Er zog sie zu sich und drückte sie an sich. „Wir vergessen es diese Nacht."

Hunerik

Die zweite Flasche war zur Hälfte geleert und langsam stellte sich die erhoffte Wirkung ein. Sein Husten quälte ihn vor allem in der Nacht. Jeder Anfall raubte ihm den Atem und er schmeckte nach jedem Anfall das Blut in seinem Mund. Es wurde von Woche zu Woche schlimmer. Jeden Tag bekam er weniger Luft und jedes Mal dauerte es länger, bis sich sein Körper erholte.

Mit Mikos hatte er nochmal erleben können, wie schön es war jung und glücklich zu sein. Aber die Jahre und die Krankheit machten nicht vor ihm Halt. Schon als er noch mit Mikos in seinem Haus gelebt hatte, bemerkte er, dass es nicht mehr lange dauern würde, bis ihm endgültig die Luft ausging. Dankbar war er mit Gadah und Erkilor ausgezogen, um in einem aufrechten Kampf zu sterben. Aber das Schicksal war ihm noch nicht gnädig gesonnen. Er hatte die Schlacht gegen die Untoten überlebt.

„Ach Scheiße", murmelte er. Vor seinem inneren Auge sah er Mikos mit seiner schlanken, muskulösen Gestalt, die gemeinsamen Tage und die Nächte zogen an ihm vorbei.

„Diesmal sterbe ich bestimmt. Aber ich nehme noch genug von euch mit."

Er schenkte sich noch einen großen Becher des Zwergenschnapses ein und genoss die Einsamkeit um sich herum.

Er musste eingenickt sein, denn er schreckte auf, als es klopfte.

„Egal, wer dort draußen ist, hau ab, ich will meine Ruhe."

Es klopfte nochmal.

Hunerik grunzte genervt. „Verpiss dich!", rief er und warf die leere Flasche gegen die Wand. Klirrend zersprang sie in unzählige Stücke.

Die Tür wurde aufgetreten und Holderar stiefelte mit dem Arm voll Flaschen in den Raum. „Leck mich doch am Arsch, du langer Arschficker. Da will man dafür sorgen, dass du nicht auf dem Trockenen sitzt und du machst mir noch nicht mal die Türe auf. Das sind ja schöne Zustände."

„Was willst du? Ich will meine Ruhe haben!", blaffte Hunerik den Zwerg an.

„Das trifft sich gut. Ich will auch meine Ruhe haben." Er knallte die Flaschen auf den Tisch und zog sich einen Stuhl heran. „Hier." Holderar warf ihm eine Flasche zu. „Lass ihn dir schmecken. Aus dem Privatvorrat des zukünftigen Zwergenkönigs."

Hunerik entkorkte die Flasche mit den Zähnen und schnüffelte. „Das Zeug ist ja noch mörderischer als euer normales Gesöff."

„Doppelt gebrannt, zieht dir garantiert beim Pissen den Schwanz zusammen." Der Zwerg nahm sich auch eine Flasche und zog den Korken heraus. „Prost."

Die Glasflaschen klirrten aneinander und beide tranken einen großen Schluck.

Schweigend saßen sie an dem Tisch, die Füße auf den Tisch und eine nach der anderen Flasche. Morgen würden sie einen Kater haben, der größer ist als die Welt. Aber das würde keine Rolle mehr spielen. Nicht für Hunerik.

## Gadah

Die Vögel stimmten ihr Morgenlied vor den ersten Sonnenstrahlen an. Aber sie waren nicht die ersten wachen Geschöpfe an diesem Morgen. Gadah stand vor seine Kommandantenbaracke. Er trug ein Kettenhemd, darüber eine schwarze Tunika aus Wolle. Die lederne Hose steckte in den hohen Stiefeln. Er hatte sich von Milana verabschiedet und war nun bereit. Seine Haare waren zurückgekämmt und im Nacken zusammengebunden und vereinzelt von hellen Strähnen durchzogen. Der braune Schwertgurt mit der Klinge machten sein Erscheinungsbild komplett. Er sah Hunerik und Holderar aus der Unterkunft des Schänders kommen. Der Zwerg steuerte den Trog an. Hunerik kam auf Gadah zu und grüßte ihn. Er trug seinen eisenbeschlagenen Kampfstock bei sich und, was ungewöhnlich war, ein Schwert an seiner Seite. „Ein schöner Morgen", stellte der Schänder fest.

Gadah nickte „Ja, man könnte fast meinen wir brechen gleich zu einem Waldspaziergang auf und kehren mit einem Körbchen Pilzen zurück."

Hunerik sah ihn irritiert an. „Ironie? Du verwirrst mich." Dabei grinste er aber.

Er ließ die Äußerung seines Freundes und Kameraden so stehen.

„Hast du und der Zwerg eine schöne Nacht gehabt?"

„Nicht so, wie du denkst."

Jetzt war es an Gadah zu grinsen. „Glaubst du, ich wüsste nicht, dass sich Holderar eher sein eigenes Gemächt abhacken würde, als dass er es dir in die Hand geben würde?"

Der Zwerg kam mit blankem Oberkörper auf sie zu. „Was habt ihr da zu tuscheln?", maulte er.

„Unser Blutlord hat mich grade gefragt, ob wir eine schöne Nacht gehabt haben."

Holderar wrang sich das Wasser aus dem Bart und verzog gequält das Gesicht. „Streu bloß keine Gerüchte, sonst überlege ich es mir nochmal, ob ich mit dir in den Krieg ziehe. Mein guter Ruf steht auf dem Spiel." Er sog die Luft tief in seine Lungen. „Solche Morgen erleben wir nicht in unseren Mienen. Diese Luft ist wunderbar."

„Vielleicht finden wir ja ein paar Pilze" warf Hunerik ein.

„Was?"

„Vergiss es." Hunerik hustete und spuckte einen geronnen Blutklumpen aus.

Neben ihnen aus der Baracke kamen die Leibwächter von Norderstedt. Dieser Mann mit dem Eisenarm, Krok hieß er, wenn sich Gadah nicht irrte, und seine Gefährtin Züleyha. Auf ihn wirkten sie wie ein großer misslauniger Bär und eine elegante Katze, die jederzeit dazu bereit war, die Krallen auszufahren. Zur Begrüßung hob der Mann seinen gesunden Arm. Die Frau fixierte ihn nur kurz mit ihren leicht schräg stehenden Augen.

Sie gesellten sich zu ihnen, sagten aber nichts.

„Weck die Männer, Hunerik. Sie sollen sich fertig machen."

„Die Zwerge rüsten sich schon", sagte Holderar.

„Gut, dann alle antreten, wenn wir vollständig sind."


In Reihe und Glied standen die Männer vor Gadah. Die Befehlshaber standen vor ihren Centurien und ihr Blick war starr nach vorne gerichtet.

Neben Gadah standen Norderstedt und Atriba. Etwas abseits Gadah und Züleyha.

Gadah räusperte sich und erhob dann die Stimme. „Männer! Ich will euch nicht mit langen Reden aufhalten. Jeder weiß, warum er hier ist und jeder hat seine Gründe hier zu sein. Ich glaube, in der Geschichte des Reiches hat noch nie ein so zusammengewürfelter Haufen an Hurenböcken beschlossen, zusammen zu kämpfen."

Ein leises Lachen ging durch die Reihen, es kehrte aber sofort Ruhe ein, als Gadah weiter sprach:

„Aber es ist vollkommen egal, wer wir sind, oder wer wir waren. Wichtig ist, dass wir alle zusammen das gleiche Ziel haben. Wir werden das Leben in diesem Land verteidigen und diese Untoten vom Antlitz der Welt fegen. Wir wollen Leben und für das Leben kämpfen. Ihr seht, hier sind nicht nur Menschen versammelt, sondern auch Zauberer, ehemalige Zauberjäger und Zwerge. Ein solches Bündnis ist einzigartig und steht über den kleinlichen Konflikten, die wir bislang gegeneinander geführt haben.

Und so sage ich euch: Achtet auf eure Kameraden und steht zusammen. Denn nur gemeinsam können wir siegen. Wir kämpfen unter der Flagge der Zauberländer, unter dem Schutz der dortigen Königin und wenn wir siegen werden, steht uns eine sichere Zukunft in einem gemeinsamen Reich bevor.

Und nun frage ich euch, wie soll unser Schlachtruf lauten? Was soll uns zum Sieg führen?"

In Goldfuß' Legion hob einer der Krieger seine Axt und Gadah wusste, es war Holderar, der den Schlachtruf der Legion ausrief. „Für die Rotte und die Königin!"

Der Ruf wurde zuerst von den Zwergen, dann von den menschlichen Soldaten aufgenommen. Alle reckten ihre Waffen in die Höhe und wiederholten den Ruf: „Für die Rotte und die Königin."

Thom

Nie zuvor war er so hilflos gewesen. Sein Innerstes war kalt, eiskalt. Aber er fror nicht. Er fühlte nichts, aber er existierte. Er wusste es, aber er fühlte es nicht.

„Das, was du fühlst, ist das Ergebnis eines Seelenrittes. Du gehörst mir." Der Todesfürst stand vor Thom und hielt die Hände verschränkt.

Er wollte seinem Peiniger widersprechen, aber seine Zunge ließ sich nicht bewegen. Es war, als ob sie nicht da wäre.

„Du gehörst mir, bis in die letzte Faser deines Körpers."

Thom wollte aufspringen und ihn würgen, aber sein Körper gehorchte ihm nicht.

„Du fragst dich, was los ist? Ich habe einen Teil meiner Seele abgespalten und dir eingepflanzt. Mir gehört nun nicht nur dieser Körper, sondern auch der deinige. Lass mich es dir beweisen."

Wie eine Marionette setzte Thom sich auf, ohne, dass er etwas dazu getan hätte. „Siehst du?", hörte er sich mit eigener Stimme sprechen, „Ich habe die vollkommene Kontrolle über deinen Körper. Du bist hilflos."

Thom stand von seiner liegenden Position auf und wurde zum Fenster gesteuert. Seine Hände griffen nach dem Fenstergriff und zogen den Flügel auf.

„Bist du schwindelfrei?", fragte der Todesfürst, wartete aber keine Antwort ab.

Thoms Sichtfeld veränderte sich und sein Rücken beugte sich. Sein gesamter Oberkörper hing aus dem Fenster und er begriff, dass er kurz davor war, aus dem Fenster zu kippen.

„Wenn ich wollte, würdest du jetzt kopfüber auf den Boden stürzen und dein Kopf würde platzen wie ein Kürbis." Um seinen Worten noch mehr Nachdruck zu verleihen, senkte sich sein Oberkörper noch ein paar Fingerbreit mehr aus dem Fenster. „Wenn ich will ...", setze der Todesfürst nach.

Alle Anstrengungen, sich dem Willen des Todesfürsten zu widersetzen, blieben erfolglos.

„Kämpfe nicht, das macht es nur schwerer für dich. Und um dir deine Angst zu nehmen: Du bist nicht untot, sondern lebendig. Dein Herz schlägt, deine Muskeln funktionieren, deine Augen sehen und deine Ohren hören. Aber ich empfinde für dich und ich steuere dich. Jede Gegenwehr ist zwecklos."

Thom trat zurück vom Fenster und drehte sich zum Todesfürsten um. Dieser hielt Mindokar mit seinem Wehrgehänge in der Hand.

„Hier." Er warf ihm seine schwarze Klinge zu und geschickt fing Thom sie auf.

Für einen Moment hegte er die Hoffnung, mit der Klinge in der Hand sich zur Wehr setzen zu können, aber diese Hoffnung zerbarst im gleichen Augenblick. Ohne jegliches Gefühl in den Fingern schnallte er sich den Schwertgurt um. Das vertraute Gefühl der Waffe an seiner Hüfte fehlte.

„Ich bin nicht nur in der glücklichen Lage, für dich zu fühlen, sondern auch deine Fähigkeiten zu nutzen."

Thoms Hand schoss vor und ein Feuerball entsprang seine Handfläche. Der Feuerball schoss quer durch den Raum und zerbarst an der gegenüberliegenden Steinwand.

„Wie du siehst, bist du vollkommen in meiner Hand. Der, den die Prophezeiung verkündet hat, ist meiner Hand. Vielleicht weißt du es nicht, aber du bist eine Gefahr für mich gewesen, da du derjenige bist, in den die Menschen ihr Vertrauen gesetzt hätten, aber das ist nun vollkommen zwecklos. Wenn sie sehen, dass du mir hörig bist, werden sie entmutigt die Waffen strecken." Er räusperte sich. „Ich hatte aber nicht daran geglaubt, dass du dich so leicht in meine Hand begibst. Arroganz und Überheblichkeit hat schon vielen Männern das Leben gekostet."

Wäre Thom dazu in der Lage gewesen, hätte er sich selbst geohrfeigt. Alles was der Todesfürst sagte, entsprach der Wahrheit. Er hatte geglaubt, ihn überrumpeln zu können, war aber stattdessen selbst in Gefangenschaft geraten. Schlimmer noch, er war vollkommen hilflos.

„Und nun, da ich sehe, dass du verstanden hast, werden wir jetzt ein wenig meine Armee in Augenschein nehmen." Der Todesfürst ging voraus und Thom folgte ihm willenlos. Und langsam wurde ihm bewusst, wie sehr er diesmal in der Patsche saß.

Holderar

Die Allianz der Streitkräfte hielt vier Meilen, außerhalb der Sichtweite der Nekropole an. Starke Wachen wurden aufgestellt und man erwartete die Ankunft der Späher, die Gadah ausgesandt hatte. Der entscheidende Hinweis traf mit dem dritten zurückkehrenden Späher ein. „Wir haben es gefunden", vermeldete ein junger Zwerg aus Goldfuß' Gefolge.

Sofort versammelten sich der Blutlord und seine Offiziere und berieten, wie sie weiter vorgehen sollten. Sie beschlossen Holderar mit einem Kommando dorthin zu schicken, was entdeckt worden war: Den Eingang in das Kanalisationssystem der Nekropole.

Die Männer, die Holderar begleiteten, waren sowohl Menschen als auch Zwerge. Er war von Gadah in den Rang eines Optios berufen worden. Der Späher begleitete sie und führte sie zu einem Kanal.

„Hier ist es." Der Späher zeigte auf den, hinter dichten Efeuranken, verborgenen Kanal, der in einen kleinen Bach mündete.

„Ich sehe es." Holderar machte seine Axt frei und hackte alles an Grünzeug weg, was die Sicht behinderte. Freigelegt gähnte der dunkle Kanal wie der Eingang in eine der Minen vor ihnen, dunkel und bedrohlich.

„Was meinen die Langen? Passt ihr da durch?", fragte er die drei Menschen, die ihn begleiteten. Außer den dreien war noch der Späher und er bei dem Kommandotrupp.

Der Älteste der Menschen, Rik, übernahm das Wort. „Ja, wird schon gehen."

„Gut. Dann atmet mal alle tief durch, es wird der letzte saubere Atemzug für die nächste Zeit sein. Gleich kriechen wir durch die Scheiße der Jahrhunderte."

„Verlockende Vorstellung", bemerkte Dunn, der die Fackeln als Bündel auf dem Rücken trug.

Sie sollten herausfinden, ob ein Teil der Legionäre und Zwerge in voller Rüstung in die Nekropole eindringen können, wie es der Plan vorsieht.

Fauchend wurden die Fackeln mit Feuersteinen entzündet und an jeden Mann eine verteilt. „Dann wollen wir mal. Cikalar, du gehst voraus." Der Späher nickte kurz und hielt die Fackel hoch. Er blies die Backen auf und machte den ersten Schritt in die Kanalisation.

Die Menschen konnten bequem aufrecht stehen, ohne sich den Kopf anzustoßen. Der Kanalboden war trocken, aber es stank, dass es einem den Magen umdrehte.

„Wie weit müssen wir hier durch?", wollte Trohgis wissen, der die Nachhut bildete.

„Bis wir angekommen sind. Jetzt haltet die Schnauzen und passt auf. Wir wissen nicht, was uns hier unten erwartet."

Stille kehrte in die kleine Gruppe ein. Holderar fühlte das leichte Gewicht des Amuletts, was um seinem Hals hing und sich an seine Haut schmiegte. Es würde sie vor magischen Attacken schützen, aber nicht vor anderen Gefahren. Und Holderars Bauch sagte ihm, dass sie hier unten durchaus mit Gefahr rechnen konnten.

Die erste halbe Meile kamen sie gut voran. Holderar schlug in regelmäßigen Abständen Markierungen in die Wände, die glatt waren wie der Arsch eines Neugeborenen. Keine Mörtelspuren waren zu sehen. Fast schien es so, als ob der Kanal aus dem Fels geschlagen worden war. Aber es waren auch keine Bearbeitungsspuren zu erkennen. Er vermutete, dass Magie bei dem Bau eine Rolle gespielt hat. Nach dem Einschlagen einer Markierung zog er seinen Zeitmesser aus der Tasche, den er so lange nicht benötigt hatte, um abschätzen zu können, wie lange sie unterwegs waren.

Dunn verteilte grade nächsten Fackeln, als er aufhorchte. „Was ist das?"

Rik schüttelte den Kopf. „Ich höre nichts."

„Ruhe", befahl Holderar. Angestrengt lauschte er. Zuerst hörte er nichts, aber dann nahm er ein leises Quieken wahr. Zuerst wusste er nicht, was er davon halten sollte, aber dann ging ihm ein Licht auf. „Runter, flach auf den Boden", schrie er und warf sich hin.

Die anderen folgten seinem Beispiel und kaum, dass der Letzte lag, rauschte ein Schwarm Schatten über sie hinweg. In dem Kanal erschallte das Quieken und Schreien der Tiere um ein Vielfaches und dröhnte in ihren Ohren.

„Fledermäuse", rief Cikalar über den Lärm hinweg.

„Einfach liegen bleiben, bis sie weg sind." Holderar spürte, wie ihn etwas Feuchtes traf. Es lief ihm an der Wange entlang. „Wenn ich gewusst hätte, dass man hier angepisst wird, hätte Goldfuß seinen Arsch selbst hier runter bewegen können", knurrte er und wischte sich mit dem Handrücken übers Gesicht. Mit dem Erfolg, dass er ein klatschendes Geräusch auf seinem Helm hörte und kurz drauf ein erbärmlicher Gestank in seine Nase stieg. „Wartet nur ab, wenn ich euer Nest finde, scheiß ich euch die Höhle bis zum Rand voll."

Nachdem der Schwarm vorbei gezogen war, rappelten sich die Männer wieder hoch und klopften sich notdürftig den Dreck von der Rüstung.

„Boah, wie das stinkt", maulte Trohgis angeekelt und verzog das Gesicht.

„Stell dich nicht so an, andere nehmen das Zeug als Dünger", scherzte Cikalar.

Rik lachte. „Deswegen sollten die Zwerge sich das Zeug nicht abwischen, sondern um jedes Häufchen froh sein, was sie getroffen hat. Vielleicht wachsen sie ja noch."

Ein leises Lachen ging durch ihre Reihen.

„Schnauze jetzt!", befahl Holderar, „Cikalar, geh wieder nach vorne und halt die Augen offen. Ich habe keine Lust auf weitere unliebsame Überraschungen."

Sie reihten sich wieder ein und gingen weiter.

Nach vier Dutzend Schritten kamen sie an eine Abzweigung. Zwei große Kanäle trafen hier auf den Kanal, in dem sie aktuell standen.

„Wohin jetzt? Links oder rechts?", fragte Cikalar.

Holderar kaute auf seiner Unterlippe. „Wir gehen links weiter."

„Warum?", wollte Rik wissen.

„Weil ich der Optio bin, du Arschloch."

Damit hatte sich jede weitere Diskussion erübrigt und schweigend stapften die Menschen hinter den beiden Zwergen her.

Cikalar hielt an und hob die Faust. Holderar blieb sofort stehen und legte die Hand auf seinen Axtstiel. „Was ist los?", flüsterte er.

„Ich weiß nicht. Mein Bauchgefühl sagt mir, hier stimmt etwas nicht."

„Seid wachsam!", raunte er über die Schulter den Soldaten zu, „Sichert nach hinten ab, ich will nicht überrascht werden."

Er kniff die Augen zusammen und zuckte zurück. „Gib mir eine frische Fackel, Dunn."

Zischend hörte er, wie die Fackel Feuer fing. Rik tippte ihm auf die Schulter und reichte ihm die brennende Pechfackel. „Geht ein Stück zurück", befahl er.

Cikalar zog seinen Kriegshammer und stellte sich einen Schritt hinter Holderar, der seine heruntergebrannte Fackel nahm und sie nach vorne warf. Fast wäre er vor Ekel zurückgeschreckt. Ein Gewusel aus Beinen und Haaren erschien im Lichtkegel.

„Oh Scheiße", fluchte Dunn hinter ihm.

Vor ihnen, an den Wänden des Kanals, hingen dicke fette Spinnen, mit Körpern, so groß wie Kinderköpfen. Sobald sie im Licht erschienen, klickerten sie. Anscheinend eine primitive Form der Verständigung.

„Das müssen Dutzende sein", flüsterte Rik.

„Ganz langsam zurück, macht keine hektischen Bewegungen und nichts, was sie provozieren könnte."

„Gerne, Optio."

„Scheiße!", fluchte Trohgis und zog sein Schwert.

„Was ist los?", wollte Holderar wissen, der nicht sehen konnte, was hinter ihm vorging, da ihm Rik den Blick versperrte.

„Sie haben uns umzingelt." Trohgis Stimme zitterte leicht und Holderar erkannte, dass der Mann kurz davor war, in Panik zu geraten. „Los, Rücken an Rücken, dann können sie uns nicht von hinten angreifen." Er zog seine Axt und stellte sich neben Cikalar. Zwei Zwerge konnten bequem nebeneinanderstehen und ihre Waffen schwingen, ohne sich zu behindern.

Das Klackern der Spinnen vor ihnen wurde lauter und wurde von den Spinnen hinter ihnen beantwortet.

„Passt auf, die Biester werden gleich angreifen." Holderar warf einen kurzen Blick über die Schulter und sah, wie Dunn und Trohgis Schulter an Schulter standen. Rik stand in der Mitte und schaute nervös auf die sich nähernden Spinnen. Als diese näher kamen, sah er, wie die Kieferklauen aneinanderschlugen und dabei das klackende Geräusch verursachte. Holderar merkte, wie sich eine Gänsehaut auf seinem Rücken bildete. Er fasste den Axtstiel fester.

Plötzlich hörte das Klacken auf und die erste der Spinnen sprang in Holderars Richtung. Seine Axt sauste durch die Luft und traf den Körper der heranfliegenden Spinne. Seine Klinge traf auf den harten Chitinpanzer und brach ihn auf. Eine grüne Masse quoll hervor und zuckend ging die Spinne zu Boden. Holderar hatte keine Zeit, den Todeskampf des Biestes weiter zu beobachten. Am Boden krabbelte ein neues Tier heran. Grade rechtzeitig konnte er sein Bein noch außer Reichweite der Kieferklauen ziehen, die klackend zusammenschlugen. Holderar verzog das Gesicht und trat nach der Spinne, die ihm hohen Bogen in weitere angreifende Leiber flog. Wütend klapperten die Viecher wieder und empörten sich über die Gegenwehr der Beute. Holderar riskierte einen kurzen Blick über die Schulter und sah, wie Dunn sein Schwert in den Leib einer Spinne stieß, ihm aber gleichzeitig eine weitere ins Gesicht sprang und ihn biss.

Schreiend ließ der Legionär seine Klinge fallen und schrie. Eine zweite Spinne biss nach seinem Bein und schlug ihre Klauen in sein Fleisch. Angeekelt würgte Holderar und bedauerte den armen Burschen.

Cikalars Hammer zerquetschte ein weiteres Viehs. „Wir sind am Arsch, Holderar, so richtig am Arsch."

„Halt die Fresse und mach alles platt, was dich beißen will", konterte er. Er wusste, dass Cikalar recht hatte. Sie saßen böse in der Klemme. Es war nur eine Frage der Zeit, bis sie Mann für Mann von den Biestern überwältigt werden würden.

Ihm kam eine Idee. „Hat jemand Öl dabei?"

„Willst du dir eins von den Biestern braten und essen?" Cikalars

„Ich habe nur etwas flüssiges Pech", rief Rik.

„Noch besser, reich rüber." Die Männer hatten bei Beginn des Kampfes ihre Fackeln auf den Boden gelegt, um beide Hände für ihre Waffen frei zu haben. Holderar war aufgefallen, dass die Spinnen um die Flammen einen Bogen machten.

„Hier nimm!" Rik reichte ihm einen ledernen Sack, in dem eine Flüssigkeit schwappte. „Los, halt mir mal den Rücken frei", bat er Cikalar.

Grimmig nickte der Zwerg und versuchte mit wilden Schlägen die Spinne zurückzutreiben.

Holderar nahm den Stopfen von der Sacköffnung und klemmte sich den Sack unter den Arm. Schnell hob er den Rest seiner Fackel auf und hielt sie an die Öffnung. „Für die Rotte und die Königin", murmelte er und presste mit dem Arm den Sack an seinen Körper. Das flüssige Pech schoss aus der Öffnung und traf auf die Flamme der Fackel, wo sich eine Fontäne aus flüssigem Pech entzündete und fortsetzte. Das flüssige Feuer platschte auf den Boden des Kanals und setzte die nächststehende Spinne in Brand. Aufgeregt klapperte das brennende Tier, bevor die Flammen gänzlich von ihr Besitz ergriffen. „Es klappt", schrie Holderar und nahm die nächste Spinne ins Visier. Er sprühte die Feuerfontäne in einem weiten Bogen und traf zwei Spinnen, brennend zurückwichen. Die anderen folgten ihrem Beispiel.

„Halt sie mit den Fackeln weiter zurück, wenn sie wiederkommen", befahl Holderar Cikalar und drehte sich nach hinten um den Menschen beizustehen. „Zurück!", rief er und er drückte auf den Ledersack. Im hohen Bogen sprühte das brennende Pech auf die wuselnden Spinnen und entzündete fünf von ihnen. Die anderen Tiere versuchten sich in Sicherheit zu bringen, während die brennenden Tiere quiekten und die

Gliedmaßen unter den Flammen krümmten. Durch die große Hitze platzten ihre Gelenke und schließlich ihre Körper. Es stank nach verbrannten Haaren, Fleisch und ekelerregenden verbrannten Körpern. Holderar konnte sich gerade so beherrschen, um sich nicht zu übergeben.

Trohgis konnte sich nicht beherrschen. Unter heftigem Würgen gab er sein Frühstück von sich.

Holderar sah sich um, aber von den Spinnen war keine Spur mehr zu sehen. Sie hatten sich zurückgezogen.

Rik kniete bei dem unglückseligen Dunn, der verrenkt am Boden lag und nicht mehr atmete. Der Legionär hielt eine Fackel näher an seinen Kameraden, der bleich und mit verzerrten Gesichtszügen am Boden lag. Die Kieferklauen der Spinne hatten mühelos seine Stirn durchdrungen und waren in sein Gehirn vorgedrungen. An den Bissrändern war eine klebrige Masse. Die Spinne hatte Dunn bei lebendigem Leib das Gehirn herausgesogen. Kein schöner Tod, befand Holderar. „Wir müssen weiter", sagte er.

„Nein, keinen Schritt gehe ich weiter", begehrte Rik auf. „Ich will hier raus, sofort. Raus aus der Dunkelheit. Wenn wir weiter gehen, fallen diese Viecher nochmal über uns her und wir enden genauso wie unser Kamerad."

„Du wirst gehorchen, du Bastard. Ich habe gesagt, wir gehen weiter."

„Und ich lasse mir von einem Zwerg nichts sagen. Ich haue ab. Keine zehn Pferde bringt mich dazu, noch einen Schritt hier weiter reinzugehen."

„Typisch Langer. Wird es gefährlich, verlieren sie die Nerven."

„Wir sind Soldaten, die im Kampf fallen können, aber ich lasse mich nicht von einem diesen Biestern bei lebendigem Leib aussaugen. So will ich nicht enden."

„Bei der Rotte hätten wir einen Feigling wie dich auf der Stelle umgelegt und mit unseren Stiefeln in den Boden getreten. Aber gut. Hau ab, du Feigling, und lass dich nicht mehr sehen. Sollte ich dich nochmal zu Gesicht bekommen, erschlage ich dich mit bloßen Fäusten und weide dich mit den Zähnen aus."

Rik zögerte kurz, steckte dann aber sein Schwert weg und nahm seine Fackel.

„Er wird alleine leichte Beute sein für die Spinnen." Trohgis schien unsicher zu sein, ob er seinem Kameraden folgen sollte oder ob er bei seinem Optio bleiben sollte.

„Willst du auch desertieren?" Holderars Stimme war scharf wie die Schneide eines frisch geschliffenen Messers.

„Nein, ich bleibe bei dir. Ich kann zwar nicht behaupten, dass es mir hier unten gefällt, aber Befehl ist Befehl."

Rik schüttelte den Kopf. „Ihr seid verrückt." Das war das Letzte, was sie von ihm hörten, bevor er in der Dunkelheit verschwand. Seine Fackel hüpfte noch ein paarmal auf und ab und verschwand dann.

„Warum hast du ihn gehen lassen?", fragte Cikular.

„Weil ich keine Feiglinge in meinem Trupp haben will. Außerdem werden dadurch unsere Chancen besser."

„Wieso das?"

„Rik ist jetzt für die Spinnen eine leichte Beute. Vielleicht folgen sie ihm jetzt und lassen uns in Ruhe." Holderar fuhr sich durch den Bart, der an ein paar Stellen leicht angesengt war.

Entsetzt riss Trohgis die Augen auf, schwieg aber.

„Los, weiter jetzt. Zündet neue Fackeln an und lasst diese hier bei Dunn liegen. So hat der arme Kerl noch etwas Licht."

Sie setzten sich wieder in Bewegung und lauschten nervös in die Dunkelheit.

Holderar hoffte, dass sie jetzt in Ruhe zu ihrem Ziel gelangten. Er verspürte kein Verlangen, den Spinnen nochmal zu begegnen.

## Gadah

„Sie müssten mittlerweile schon Nachricht von sich gegeben haben, ob der Kanal passierbar ist."

„Bist du nervös?" Atriba stand im Lager neben Gadah und spähte in Richtung Nekropole.

Noch hielten sie sich in Deckung des Waldes.

„Ja, ich bin nervös", sagte Gadah. Vielleicht etwas lauter als er wollte. Er dämpfte seine Stimme wieder und fuhr fort: „Es hängt viel davon ab, dass wir einen Teil der Streitkräfte in die Nekropole bekommen. Einen Frontalangriff von der Mauerseite können wir nicht führen, wir haben keine Belagerungswaffen."

„Vertraue auf die Kraft deiner Männer, Kriegskonsul. Oder soll ich dich lieber Blutlord nennen?"

„Lass das bleiben. Es reicht, wenn mich meine Männer so nennen."

„Der Titel scheint dir nicht zu behagen."

„Er erfüllt seinen Zweck. Aber man bringt zu viel Krieg und Tod mit ihm in Verbindung."

„Komische Ansichten für einen Soldaten."

„Die Ansichten eines alten Soldaten." Gadah kratzte sich am Hals und schien in seinen Gedanken versunken.

„So alt bist du auch nicht. Du bist kräftig, deine Muskeln sind noch stark und deine Männer reden mit großem Respekt von dir."

Er lachte kurz auf. „Früher waren meine Muskeln stärker. Jedes Mal wenn ich die Klinge ziehe, fällt es mir schwerer. Ich gebe zu, dass ich mir im Kampf durchaus zu helfen weiß. Aber es wird einer kommen, der schneller, jünger und stärker ist. Nein, für einen Krieger ist es ein Glück, wenn er die Jahre im Kampf überlebt hat und sich zur Ruhe setzen kann, eine Frau findet, die ihn liebt und Kinder in die Welt setzt."

„Hast du diese Frau schon gefunden?"

„Ich glaube schon."

„Dann hast du mehr als ich in diesem Bereich vollbracht."

„Du hast keinen Mann?" Gadah sah sie von oben herab an.

„Nein, es gab Liebhaber, aber niemand wollte sich auf Dauer an eine Frau binden, die mehr im Vordergrund steht, als er."

„Dieser von Norderstedt scheint mir dir doch zugetan."

Atribas Gesicht wurde zu einer Maske. „Sein Werben um mich ist ohne Aussicht."

Gadah war so klug zu schweigen. Wenn sie ihm den Grund sagen wollte, musste sie das von sich aus wollen. Und sie wollte nicht.

Für einen Augenblick standen sie noch schweigend nebeneinander, ehe ein Alarmruf durchs Lager ging. „Wir werden angegriffen! Zu den Waffen!"

„Was ist los?", wollte Gadah wissen. „Ich will eine ordentliche Meldung haben!"

Ein Legionär kam außer Atem angetrabt und salutierte flüchtig. „Wir sind von der südlichen Wache. Ein Stoßtrupp des Feindes ist auf uns getroffen. Wir haben sie niedergemacht, aber kurz drauf kamen die anderen."

„Wie viele?"

Unruhe kam ins Lager, die Männer griffen nach ihren Waffen und bereiteten sich auf den Kampf vor. Gadah sah, dass die Bewegungen der Legionäre sicher und selbstbewusst waren. Insgeheim musste er Hunerik ein Kompliment aussprechen, während er auf die Antwort des Legionärs vor ihm wartete.

„Mein Optio sagt, ich soll dreitausend Feinde melden."

„Das sollte kein Problem darstellen", warf Atriba ein.

„Centurio Goldfuß!", brüllte Gadah.

„Bin da, Herr." Goldfuß kam angelaufen. „Meine Männer sind bereit."

„Dann schnappt euch die Bastarde und macht sie nieder."

„Jawohl, Herr."

Sofort trabte Goldfuß los. „Erste Zwergenlegion, mir folgen!", brüllte er.

Atriba sah den Zwergenkriegern nach. „Es beginnt also."

„Ja, aber Goldfuß wird mit ihnen fertig werden. Viel schlimmer ist, dass unser geplanter Überraschungsangriff wohl nicht klappen wird."

Krok

Der Alarmruf weckte ihn aus einem leichten Schlummer. „Was ist los?" Verschlafen rieb er sich die Augen.

„Wir werden angegriffen, soweit ich das Chaos aber überblicke, kümmern sich die Zwerge darum." Züleyha kniete neben ihm und hielt Ausschau.

Norderstedt lag entspannt in ihrer Nähe. „Wir sind hier vollkommen sicher. Es greifen nicht viele an. Ich denke sie werden nur testen wollen, wie wir reagieren und wie schnell wir den Angriff zurückschlagen können."

„Das bedeutet, der Hauptangriff wird noch erfolgen?" Züleyha verstand nicht viel von Kriegsführung.

„Wenn wir nicht schneller sind, wird noch ein Angriff des Feindes erfolgen, ja." Norderstedt stand auf. „Wollen wir uns das Scharmützel mal anschauen? Es könnte ganz interessant sein."

„Hieß es nicht, wir werden uns im Hintergrund halten?", meckerte Krok.

„Tun wir ja. Wir halten uns hinter der eigenen Linie und beobachten, wie die Untoten kämpfen. Vielleicht hilft es uns was bei den kommenden Kämpfen."

„Das klingt mir zu vernünftig, Norderstedt. Ich hoffe nicht, dass du vor hast Ruhm zu sammeln."

Züleyha strafte ihren Geliebten mir einem strengen Blick.

„Du bist immer so destruktiv, starker Krieger."

„Es könnte an deiner Art liegen, wie du Versprechen einhältst."

Norderstedt schwieg und raffte seine Sachen auf. „Kommt mit oder lasst es bleiben."

„Wir kommen mit. Wir sind deine Leibwächter", entschied Züleyha für sie beide.

Ohne ein weiteres Wort ging auch Krok zu seinem angepflockten Pferd und saß auf.

Der Kampflärm war schon von weitem hörbar und sie zügelten ihre Pferde. Vor ihnen breitete sich die schönste Schlacht aus, die man sich vorstellen konnte. Die Zwerge standen eng beieinander und boten den Untoten keine Gelegenheit, sie einzukesseln. Im Gegenteil. Die Zwerge zogen einen lockeren Ring um die Untoten und machten sie fast mühelos nieder. Zu mühelos.

Der Zwergenanführer stand in der vordersten Reihe und schwang seine mit Goldintarsien verzierte Axt. Glitzernd sauste die Waffe durch die Sonne und funkelte ehrfurchtgebietend.

„Das sieht gut aus für die Zwerge.", stellte Krok fest. Nur wenige der Verbündeten lag am Boden.

Norderstedt schaute sich konzentriert die Kampfreihen an. „Hier stimmt etwas nicht."

„Wieso?" Züleyha klopfte ihrem Pferd den Hals, während auch sie dem Kampfgeschehen zusah.

Bevor der Adelige eine Antwort gab, veränderte sich die Realität. An der linken Flanke der Zwerge tauchte eine weitere Streitmacht auf. Und diesmal handelte es sich nicht um leicht-gerüstete Untote. Die hier waren schwer bewaffnet und bewegten sich geschmeidig, wie lebende Krieger.

„Eine Falle", stieß Norderstedt hervor. „Es war eine Falle!"

Goldfuß

„Scheiße, die Hurenböcke kommen von der anderen Seite und wollen uns aufreiben."

Die Männer in seiner unmittelbaren Umgebung schauten erschrocken zu der Seite, von der der Feind sich näherte.

„Streckt die Linie!", befahl Goldfuß, „Linker Flügel, schwenkt um, Schilde nach vorn!", ergänzte er.

Sein Befehl wurde weitergegeben und die Männer gehorchten umgehend. Die Zwerge waren diszipliniert und hart. Sie standen jetzt in V-Formation. Die eine Linie kämpfte die verbliebenen Untoten nieder und die andere Linie stellte sich dem neuen Gegner.

Als die Kampflinien der neuen Untoten auf die der Zwerge traf rasselte und schepperte es. Männer stöhnten auf und stießen ihre Schlachtrufe aus. Die neuen Untoten waren ein ganz anderes Kaliber. Wie erfahrene Krieger parierten sie die Angriffe der Zwerge. Kriegshämmer trafen auf Schilde, Äxte auf Schwerter. Goldfuß sah, wie einige seiner Männer fielen. Die gerüsteten Untote waren alles andere als plump und unbeweglich. Sie bewegten sich schnell und präzise, sogar schneller als seine Männer, als ob ihre Bewegungen von Magie beschleunigt wurde. Ihm war klar, dass seine Männer nicht alleine mit dem Feind fertig werden würde. Er griff sich den am nächsten stehenden Melder. „So schnell wie möglich zu Kriegskonsul Gadah. Sag ihm, der Feind hier ist stärker als erwartet. Wir brauchen Verstärkung. Sag ihm auch, der Feind wird magisch verstärkt."

Konzentriert sah ihn der Melder an und nahm die Worte seiner Nachricht auf. Der Mann war leichter gerüstet als die anderen Kämpfer. Er musste schnell seine Meldung überbringen.

„Hast du die Nachricht verstanden? Dann wiederhole sie."

Der Melder gab die Worte wieder und fand Goldfuß Zustimmung. „Dann los, Soldat. Wir brauchen hier so schnell wie möglich Verstärkung. Ab!"

Der Melder nahm die Beine in die Hand und lief los.

Goldfuß sah, wie der Melder verschwand und wandte sich wieder dem Kampfgeschehen zu. Zahlenmäßig waren sie dem Feind hier unterlegen. Für jeden gefallenen Zwergenkrieger fiel mindestens einer der Feinde. Aber in dem Verhältnis würden sie bald überwältigt sein. „Gadah, handle schnell und hol uns aus dieser Scheiße raus", bat Goldfuß. Fest umfasste er seinen Axtstiel und warf sich wieder ins Getümmel.

Holderar

Seit Rik nicht mehr bei ihnen war, herrschte eine gedrückte Stimmung vor. Nicht, dass sie den Kameraden vermisst hätten. Vielmehr war ihnen bewusst geworden, dass ihnen jetzt ein Mann fehlte, wenn es wieder zu einem Kampf kommen würde.

Die Spinnen hatten sich bisher nicht mehr blicken lassen. Aber sie folgten ihnen. Sie hörten das Klacken der Kieferklauen aus einiger Entfernung. Trohgis bildete die Nachhut und drehte sich alle paar Schritte um. Erleichtert stellte er jedes Mal fest, dass nichts zu sehen war von ihren Verfolgern. Aber sie waren da.

Holderar spürte sie in seinem Nacken, spürte die Vielzahl ihrer Augen, die jede Schwäche sehen würden. Ihm dämmerte, dass die Spinnen wohl hier unten von den Erbauern der Stadt ausgesetzt worden waren, um den Zugang zu schützen. Aber wenn die Errichter so magisch begabt waren, wo waren dann die magischen Fallen, mit denen sie gerechnet hatten? Vor ihm schimmerte was in der Dunkelheit. Der Lichtkegel der Fackeln fiel auf ein Gebilde vor ihm. Cikular hielt die Faust hoch und deutete nach vorne.

Vor ihnen spannten sich Netze, verwoben mit dicken klebrigen Fäden. „Pfui." Holderar spuckte auf den Boden und streckte eine behandschuhte Hand aus, um die Stabilität der Fäden zu prüfen. Im letzten Augenblick hielt er inne. „Wie fangen Spinnen ihre Beute?"

„Sie weben Netze und warten darauf, dass sich ein Opfer drin verfängt", antwortete Trohgis.

Holderar zog die Hand zurück. „Scheiße. Das heißt, vor uns warten noch mehr von diesen Biestern oder die Viecher hinter uns haben uns in eine Falle getrieben."

Unruhig sah sich Trohgis um. „Was sollen wir tun?"

Er überlegte krampfhaft. Verdammt noch eins. Pildar hatte immer gewusst, was zu tun war. Niemals hatte er Zweifel erkennen lassen. „Gib mir eine Fackel", beschloss Holderar.

Fauchend zündete der Legionär eine an. „Langsam glaube ich, Rik hat die bessere Wahl getroffen." Er reichte dem Zwerg die Fackel und starrte gespannt in die Dunkelheit.

„Was hast du?", fragte Cikular.

Holderar schwieg und ging in die Knie. Die Maschen des Netzes waren in Bodennähe in weitem Abstand gewoben. Er schob die Fackel mit Schwung durch die Maschen. Ein halbes Dutzend Schritte glitt sie über den Boden und blieb dann liegen.

Die Flamme erhellte die Dunkelheit vor ihnen und machte die Sicht auf ein neues Grauen frei.

Krok

„Kommt mit, die Zwerge brauchen Hilfe." Norderstedt zog ein Kavallerieschwert und drückte seinem Pferd die Fersen in die Flanken. Norderstedts Pferd trabte an und ließ Krok mitsamt Züleyha zurück.

„Wir halten uns aus den Kämpfen heraus", ätzte Krok.

„Mut hat er, das musst du ihm zugestehen." Züleyha zog ebenfalls ein Schwert und trieb ihr Pferd an. Krok blieb zurück und sah den beiden hinterher.

Ruhig griff er in seine Westentasche und zog einen Kautabak heraus. „Manche kann man nicht vom Sterben abhalten, mein Guter", sprach er zum Pferd. Er nahm einen großzügigen Bissen vom Tabak und steckte ihn wieder weg. Kopfschüttelnd entriegelte er seinen Metallarm und begann kauen. „Los, hinterher, Brauner. Diese Irren kann man ja nicht alleine lassen." Krok ließ das Pferd losgaloppieren und klappte die Klingen aus seiner künstlichen Hand. Schnell schloss er zu Züleyha auf.

„Ich hatte schon befürchtet, dass du noch länger brauchen würdest", frotzelte sie.

„Wenn ich vernünftig wäre, hätte ich den Arsch meines Pferdes gedreht und wäre, so schnell ich könnte, in die entgegengesetzte Richtung geritten."

Norderstedt war ihnen noch um drei Pferdelängen voraus und sie trieben ihre Reittiere noch mehr an. Das Stakkato der Hufschläge dröhnte in ihren Ohren. Krok fühlte das angenehme Kribbeln, was ihn im Kampf immer durchfuhr.

Sie folgten Norderstedt, der sein Pferd hinter die Linien lenkte und seine lange Klinge schwang und sie auf den ersten

Untoten in der hintersten Reihe niedersausen ließ. Tief fuhr die Klinge in die Halsbeuge des Mannes. Züleyha folgte und schwang ihr Schwert gegen den Kopf des Mannes. Herumgerissen von der Wucht des Hiebes konnte Krok in das untote Antlitz die Klingen seiner Metallhand rammen. Mühelos glitten die Klingen durch den Schädel des Mannes und riss die Hälfte des Kopfes weg.

Norderstedt ritt einen neuen Angriff und visierte einen neuen Feind an. Sein Gesicht war gerötet.

„So werden wir aber nicht die ganze Armee erledigen können", rief Krok in den Kampflärm.

„Jeder der fällt, ist ein Feind weniger für die Zwerge." Norderstedt schwang sein Schwert und ritt wieder an. Züleyha und Krok folgten ihm wieder.

„Hüa, los, hinterher", trieb Züleyha ihr Pferd an.

Krok spuckte einen Priem aus und folgte ihr. „Noch am Leben! Aber diese Frau wird das ändern, da bin ich mir sicher."


Holderar


Im Netz vor ihnen hingen, in Kokons eingesponnen, allerlei Kleingetier. Fledermäuse, ein Fuchs und eine Wildkatze war zu sehen. Teilweise waren die Kadaver angefressen. Das war aber nicht der schlimmste Anblick. Von der Decke hing ein großer Kokon mit einem weiteren Kadaver. Ein Bein war bis auf einen Rest Haut und Knochen ausgesaugt. Der Schädel war aufgebrochen und entleert, die Augenhöhlen dunkel und leer. Rik!

Angewidert wandte Trohgis sich ab. „Wie kommt er hier hin? Wieso haben wir nichts gehört?"

Es musste noch andere Gänge geben außer dem Hauptkanal, in denen die Spinnen sie überholt hatten. „Sie spielen mit uns, wollen uns mürbe machen und unvorsichtig." Holderar schluckte hart. So zu enden war niemandem zu wünschen. Eine ehrlich geführte Klinge und ein schnelles Ende, aber das hier, selbst einem Feigling wie Rik war das nicht zu vergönnen.

Hinter ihnen klackerte es wieder. Diesmal näher als zuvor.

„Sie kommen näher, Optio."

„Wir hören es." Cikular zog ein langes Messer. „Mit deiner Erlaubnis, Zwergenbruder."

„Mach es. Zurück können wir eh nicht mehr."

Cikular schnitt einen Faden durch. Mühsam glitt die Klinge durch den klebrigen Faden. Reste blieben am Messer kleben.

„Ich sehe Schatten, die näher kommen, beeilt euch, bevor sie hier sind", drängte Trohgis

„Wenn sie nahe genug sind, nimm den Rest des Pechs und zünde sie an." Holderar zog seine Axt und Hieb auf den nächsten, dicken Faden ein.

Das ganze Netz zitterte und Riks Leiche begann im Netz zu schwanken.

„Einfach widerlich!"

Das Klackern wurde wieder lauter, aber diesmal kam es nicht nur von hinten, sondern wurde von vorne beantwortet.

„Gleich geht es wieder los." Holderar konnte am Rand des Lichtkegels das erste Bein von dem nähernden Getier sehen.

„Scheiße, das sind sie", fluchte Trohgis. Er entzündete den Rest des Pechs und spritzte es auf die erste Spinne, die sich ihm näherte. Das flüssige Feuer klebte auf dem Körper des Viehs. Die Nachfolgenden hielten Abstand. „Sie haben gelernt. Sie bleiben außer Reichweite."

Holderar hörte, wie die unvorsichtige Spinne vom Feuer verzehrt wurde. Die Gelenke platzten vor Hitze. Wenn das Pech aufgebraucht war, hätten sie nichts zu lachen. Er dachte an Rik und an den leer gesaugten Schädel. „So werde ich nicht sterben ihr haarigen Arschlöcher, und wenn ich euch die Beine mit den Zähnen ausreiße."

Er sprang vor und hieb mit der Axt nach der ersten Spinne, die ihm am nächsten stand. „So nicht, ihr Geschiss, so nicht."

Luzil

Gadah hatte ihn ausgeschickt, damit er mit seinen Armbrustschützen die Zwerge unterstütze. Der Bote, den Centurio Goldfuß geschickt hatte, war außer Atem beim Blutlord angekommen und den Schlamassel geschildert, in den die Zwerge hineingeraten waren. Sofort hatte er den Befehl erhalten, die Zwerge rauszuhauen.

Im Laufschritt kamen sie zum Kampfplatz und Luzil überblickte die Situation. Die Zwerge hatten moderate Verluste einstecken müssen und standen jetzt einem Trupp gegenüber, der ihnen ebenbürtig war. Schwer gerüstete untote Soldaten. Sie waren in Gefahr eingekesselt zu werden.

Luzil pfiff seinen Optio heran und deutete auf die linke Flanke. „Wir lassen die Männer dort hinten an der Anhöhe Stellung beziehen und nehmen die Seite des Feindes unter Beschuss. So kommen uns die Zwerge nicht in die Schusslinie und wir können die Feinde abschießen."

„Verstanden, Centurio." Der Optio bellte seine Befehle und dreihundert der Armbrustschützen bezogen im Laufschritt Aufstellung. Einhundert Mann hielt Luzil in Reserve.

„Achtung!, Armbrüste spannen und auf meinen Befehl hin abfeuern!" Der Optio spannte seine eigene Waffe und legte den Spezialbolzen ein.

Mit den üblichen Bolzen hätten sie bei den Untoten nicht viel Schaden zufügen können. Sie wären in die leblosen Körper eingedrungen und die Feinde hätten weiter gekämpft. Die Bolzen, die sie jetzt einlegten, waren dicker und mit einer speziellen Spitze versehen. Vierkantig und mit Sägezähnen. Die Schmiede der Zwerge hatten ganze Arbeit geleistet. Zwar flogen die Bolzen nicht so weit wie ihre üblichen Geschosse, aber das brauchten sie auch nicht. Sie sollten einem anderen Zweck dienen.

„Anlegen!"

Die ersten beiden Reihen pressten ihre Armbrüste an die Schultern und zielten.

„Feuer!"

Ein hundertfünfzigfaches Schnappen der Armbrüste erfüllte die Luft und die Bolzen flogen auf ihre Ziele. Und sie trafen ihre Ziele. Sie schlugen in Schädel, Gelenke und Hälse ein. Durch die spezielle Bauart wurden Gliedmaßen und Köpfe abgerissen. Die wenigen Bolzen, die nicht das gewünschte Ziel der Schützen trafen, sorgten zumindest dafür, dass die Getroffenen aus dem Gleichgewicht gerieten und den Zwergen Gelegenheit gaben sie niederzumachen.

Luzil beglückwünschte seine Männer im Stillen. Ihr Plan ging auf und die Ausbildung hatte sich gelohnt. Er gab dem Optio ein Zeichen und ließ, während die erste Reihe nachlud, die zweite Reihe ihre Bolzen durch die Luft sirren. Der Erfolg war nicht geringer als bei der ersten Salve.

Im Gewühl der Schlachtreihen hob sich eine Axt mit goldenen Verzierungen und schwenkte sie zum Dank.

Ein Lächeln huschte über Luzils Züge und hob ebenfalls zum Gruß seine Faust.


Krok


„Wir haben bis hierhin nur Glück gehabt. Ich werde nicht zulassen, dass wir noch so einen wahnsinnigen Angriff reiten." Er stellte sein Pferd vor das von Norderstedt und hinderte ihn so daran wieder anzureiten.

„Er hat recht, Norderstedt. Die Pferde sind schon fast fertig. Das hier sind Reitpferde und keine Schlachtrösser." Züleyha stimmte Krok zu. Sie blutete aus einer oberflächlichen Schnittwunde an der Wade. Norderstedts Pferd hatte auch schon einen Hieb an der Hinterhand abbekommen und blutete.

„Wir müssen aber die Zwerge unterstützen", begehrte Norderstedt auf.

„Herr, du wolltest uns als Leibwächter, aber dann musst du auch auf uns hören. Sonst können wir dich nicht vor den Gefahren schützen." Krok spie den letzten Rest seines Tabakpriems aus. „Die Armbrustschützen sind Unterstützung genug für die Zwerge. Zusammen werden sie die Untoten hier schaffen. Wir können uns aber auf die Suche nach den Nekromanten machen, die die Untoten lenken."

„Na gut. Ich habe dort hinten eine Gruppe gesehen, ich glaube, dort waren auch ein oder zwei der Weißhaarigen bei."

„Dann lasst uns dorthin reiten und sie niedermachen." Norderstedt schien in Kampfeslaune zu sein.

„Nicht so hektisch. Ihr beide reitet ein Ablenkungsmanöver und ich schnapp mir die Kerle. Lasst mir nur ein wenig Vorsprung, ich will sie umgehen." Krok zog am Zügel. „Und pass auf unseren Herrn auf, sonst kann uns niemand mehr für seine Zwecke einspannen." Er ritt davon und blieb in der Deckung einiger Bäume.

„Ich glaube, das ist die Art mir zu sagen, dass er mich mag oder?" Der dicke Adelige ritt an Züleyha vorbei, das Schwert hing an seiner Seite.

„Das ist eher seine Art zu sagen, dass er lieber im Bett wäre."

Krok lenkte sein Pferd so nah wie möglich an die Gruppe heran, wie er konnte. Dann zog er mit der linken Hand sein Schwert und näherte sich. Wenn alles gut ging, würden

Züleyha und Norderstedt jetzt auftauchen und die Feinde ablenken.

Zwei Weißhaarige und fünf Untote, schwer bewaffnet standen zusammen. Sieben zu drei. Ich stand schon mal auf verlorenem Posten, dachte er und schon tauchten Züleyha und ihr selbstgesuchtes Elend auf. Im vollen Galopp preschten sie frontal auf die Weißhaarigen zu, die von den untoten Leibwächtern abgeschirmt wurden.

Dann los, sagte er zu sich selbst und fiel in Laufschritt.

Das Schwert hoch über dem Kopf schwingend, ritt Norderstedt auf einen der Untoten zu und ließ die Klinge in weitem Bogen auf den Schädel des am nächsten stehenden Feindes niedersausen. Die Hälfte des Schädels flog weg und stolpernd ging das Geschöpf zu Boden.

Züleyha kam kurz dahinter und kurz vor dem ersten Untoten sprang ihr Pferd in die Höhe, sprang über ihn hinweg, ohne ihn zu berühren und traf einen der Weißhaarigen mit dem Huf an der Stirn.

Krok stürmte heran und stieß seine Klinge tief in den Brustkorb eines Untoten und drehte es, damit es sich verkeilte und er ihm nicht entkommen konnte. Mit einem Rückhandschlag schlug er ihm den Schädel von den Schultern. Er drehte sich schnell und bekam die Klinge wieder frei, gerade rechtzeitig um den Angriff eines weiteren Untoten zu blocken. Er riss den Arm hoch und ließ das Schwert über ihn hinweg gleiten, seines rauschte durch die Luft und schlug die waffenführende Hand ab. Seine Metallkrallen sausten herab und spalteten den Schädel. Krok drückte den Oberkörper seines Kontrahenten herunter. Mit seinem Schwert schlug er ihn in den Nacken und warf den abgetrennten Schädel achtlos weg.

Züleyha tauchte grade unter einem ungeschickt geführten Hieb weg und rammte ihm die Schulter in den Solarplexus. Zwar stolperte der Untote rückwärts, aber die Wirkung, die es bei einem Lebenden gehabt hätte, blieb aus. Norderstedt kam ihr zu Hilfe und machte den Feind nieder.

Zwei der Untoten waren noch übrig, denen sie sich jetzt zuwandten.

Auf Krok wartete der Weißhaarige, der sich bisher aus dem Kampf zurückgehalten hatte. Mit entschlossenem Gesicht hielt dieser seinen Holzstab vor sich.

Krok wusste von den Zauberjägern, dass diese unscheinbar aussehenden Holzdinger gefährliche Waffen waren. Zum Glück war auch er mit einem der Schutzamulette ausgestattet worden. Er ließ sein Schwert einfach herunterhängen und klappte die Klingen an seiner Metallhand ein.

Der Weißhaarige sah seine Chance und griff mit vorgestrecktem Holzstab an und wollte ihn Krok in die Brust rammen. Bevor er ihn damit berühren konnte, baute sich ein grüner Schutzschild auf und der Holzstab prallte daran ab. Krok wusste zwar, was passieren würde, erschreckte sich aber trotzdem. Aber auch der Weißhaarige war irritiert, dass seine Waffe keine Wirkung zeigte. Bevor er sich wieder von seiner Überraschung erholte, nutzte Krok seine Chance. Seine Metallhand krachte gegen die Schläfe des Nekromanten. Die Beine knickten kraftlos unter dem Mann ein. Entschlossen zog Krok sein Knie hoch und traf mitten ins Gesicht. Stöhnend ging der Mann zu Boden und blieb liegen.

Norderstedt und Züleyha hatten ihre Feinde auch überwältigt. Der Adelige blutete aus einer Schnittwunde am Oberarm.

„Ist er tot?", fragte Norderstedt.

Krok spuckte aus und steckte sein Schwert weg. „Wenn sein Schädel was aushält, ist er nur ohne Besinnung."

„Dann lasst ihn uns zum Blutlord bringen. Der wird einige Fragen an diesen Burschen haben."

Goldfuß

Ein Drittel seiner Männer hatte ihr Leben gelassen oder lag verwundet am Boden. Aber mit Luzils Unterstützung gewannen sie langsam aber sicher die Oberhand über den Kampf. Seine Axt sauste goldglitzernd durch das tote Fleisch ihrer Feinde, deren Schlachtordnung im Inbegriff war sich aufzulösen. Als seine Krieger das merkten, schien ihnen das neue Kräfte zu verleihen und sie rückten vor, drängten den Feind zurück.

Das Klirren der Schlacht erfüllte die Gegend und Goldfuß ließ sich etwas zurückfallen. Den Rest würden seine Männer selbst erledigen können.

Neben ihm lag einer der Untoten am Boden. Sein Kopf war vom Rumpf getrennt und sein linker Arm hing nur noch ein paar Sehnen und Muskelresten.

Der Anführer des Goldclans kniete nieder und besah sich die Kreatur näher. Die Haut war fleckig und aufgedunsen an einigen Stellen fehlte die Haut und gab den Blick auf die darunterliegenden Muskeln frei.

„Hoffentlich hast du jetzt deine Ruhe."

Er hörte seine Männer jubeln und stand auf. Alle Untoten waren niedergemacht, aber er wusste, dass dies nur das erste Scharmützel gewesen war. Aber sie hatten gewonnen, das war die Hauptsache.

Er reckte seine Waffe in die Höhe. „Sieg!", schrie er über das Schlachtfeld. Er schaute zu der kleinen Anhöhe, auf der Luzil mit seinen Leuten stand. Er hielt seine Armbrust hoch und grüßte den Clanführer. Das Bündnis besaß die Schlagkraft, die sie sich erhofft hatten.

Holderar

Es schien aussichtslos zu sein. Zwar konnten sie die Spinnen noch auf Abstand halten, aber er fühlte, wie sie müder wurden. Ihre Bewegungen wurden langsamer und die Anzahl der Spinnen nicht erkennbar weniger. Der Boden des Kanals war bedeckt mit den glitschigen Eingeweiden und Säften der getöteten Spinnen und machten ihn rutschig. Holderar musste aufpassen, dass er nicht ausglitt.

Cikular schnaufte schwer und hing an einem klebrigen Faden fest. In einem Moment der Unachtsamkeit rutschte er mit seinem Standbein weg und fiel auf die Seite.

Sofort sprang Holderar herbei und wollte ihm Deckung geben, aber es war zu spät.

Schnell war eines der Tiere über dem Zwerg und schlug ihre Klauen in seinen Hals. Cikular stieß noch einen erstickten Schrei aus und erschlaffte. Dass Holderar das Tier in zwei Hälften schlug, half ihm auch nichts mehr.

Zeit zur Trauer blieb Holderar keine, er musste zurückweichen vor den jetzt näher kommenden Spinnen. Rasch bückte er sich und hob die Axt seines toten Kameraden auf. In jeder Hand jetzt eine schwere Kriegsaxt wirbelnd, stand er breitbeinig im Kanal und schlachtete alles ab, was in seine Reichweite kam. Sein Herz pumpte, sein Atem ging schnell und kurz, aber er stand noch und hörte Trohgis hinter sich auch schnaufen.


Gadah


Der ehemalige Gladiator warf den ohnmächtigen Nekromanten vom Pferd und stellte ihm den Fuß auf die Brust. Die Hände des Mannes waren hinter seinem Rücken gefesselt und er atmete schwer.

„Das war gute Arbeit", lobte Gadah.

Norderstedt stieg vom Pferd und deutete auf den Gefangenen. „Er lebt noch. Zwar hat unser grober Klotz ihm den

Schädel gebrochen, aber er dürfte noch in der Lage sein ein paar Fragen zu beantworten. Ich habe ihn notdürftig ein wenig Heilungsmagie zukommen lassen."

„Nun gut. Wecken wir ihn mal auf." Gadah nahm seine Wasserflasche und spritzte dem Nekromanten etwas Wasser ins Gesicht.

Benommen schlug der Mann mit schweren Lidern die Augen auf.

Gadah wartete noch einen Augenblick und kniete sich dann neben den Mann. „Kannst du mich verstehen?"

Schwach nickte der Mann.

„Damit wir uns richtig verstehen. Du bist tot. Du bist so schwer verletzt, dass wir dich nicht heilen könnte, selbst wenn wir es wollten. Was wir aber können, ist dir das Sterben schwer zu machen. Wir können dich länger am Leben halten und dir schlimme Schmerzen zufügen. Wir ziehen dir die Haut ab, drehen dir die Fingernägel auf links und schneiden dir bis zum Hals herauf alle Gliedmaßen, inklusive Eier ab. Am Ende stirbst du mit deinem eigenen Schwanz im Mund und wirst an ihn ersticken. Hast du das verstanden?"

Ein tiefes, gläubiges Feuer brannte in den Augen des Nekromanten. Als er nicht antwortete verstärkte Krok den Druck auf den Brustkorb des Mannes. Dieser stöhnte auf und rang nach Luft.

„Ihr könnt nicht gewinnen, ihr schwachen Menschen. Unser Todesfürst wird dafür sorgen, dass ihr noch auf den Knien darum bitten werdet, zu uns zu gehören." Der Weißhaarige schloss wieder die Augen und ein Lächeln trat auf seine Lippen.

Gadah senkte den Kopf und schüttelte ihn. „Lasst ihn. Aus ihm werden wir nichts heraus bekommen."

„Woher willst du das wissen?" Norderstedt sah verärgert aus.

„Ich habe es in seinen Augen gesehen. Wir könnten ihm sämtliche Knochen brechen, er würde nichts verraten und wir nur Zeit verlieren. Machen wir ein Ende." Gadah nickte Krok zu, der seinen Fuß auf den Nacken des Mannes setzte und zutrat. Mit einem trockenen Knacken brach das Genick des Mannes und er erschlaffte.

„Das war voreilig. Wir hätten es zumindest versuchen sollen", meckerte Norderstedt.

„Glaub mir, ich habe genug Männern in die Augen gesehen. Dieser hier hätte sich eher selbst die Zunge abgebissen und verschluckt, anstatt uns auch nur zu verraten, was für ein Wetter gestern war."

Atriba legte dem Adeligen ihre schlanke Hand auf die Schulter. „Der Kriegskonsul hat recht. Ich habe es auch gesehen. Wir sollten unserem ursprünglichen Plan folgen."

„Ich hoffe wir hören bald etwas von Holderar, wenn alles glattgegangen wäre, hätten wir schon längst etwas hören müssen."

Atriba sah Sorge in Gadahs Augen. Auch ihr Bauchgefühl sagte ihr, dass beim Erkundungstrupp etwas schief gelaufen war.

Thom

Er wollte nicht, aber konnte nicht anders. Immer zwei Armlängen vom Todesfürsten entfernt behielt er Thom in seiner Nähe. Seine Hoffnung, dass seine Körperkontrolle wiederkommen würde, zerschlug sich. Er erstickte fast an seiner Wut und hätte am liebsten laut losgeschrien. Aber seine Gedanken konnten sich keinen Weg nach außen bahnen. Wie ein willenloser Hund, der seinem Herrn folgte, tat er brav alles, was der Todesfürst wollte.

„Deine Freunde glauben, sie könnten sich gegen meine Macht behaupten. Aber wir werden sie wegwischen wie eine Horde Fliegen vom Obst." Sie spazierten gemütlich durch die Nekropole und begutachteten die Vorbereitungen der Untoten auf eine Schlacht. Waffen wurden verteilt, Rüstungen angelegt. Die Weißhaarigen standen bei ihren Gruppen.

„Wir sind deinen Leuten in jeder Hinsicht überlegen. Wir haben mehr Krieger, wir sitzen in einer befestigten Stadt und unsere Magier sind mächtiger. Du kannst froh sein, jetzt auf meiner Seite zu stehen."

Innerlich verdrehte Thom die Augen. Die Schwatzhaftigkeit nervte ihn, aber leider konnte er nicht weg von ihm.

„Ich weiß, du denkst, ich will nur vor die angeben. Aber sei versichert, das liegt mir fern. Du sollst lediglich erkennen, wie aussichtslos das Unterfangen ist, welchem ihr euch gestellt habt. Du wirst derjenige sein, der ihren Untergang mit ansehen wird und dann in meinen Diensten stehen. In diesem Gefängnis aus Fleisch, in dem dein Geist frei ist. Bis in alle Ewigkeit wirst du daran denken und die Niederlage deiner Freunde miterleben."

Thom begriff, welche Grausamkeit der Todesfürst mit ihm vorhatte und Wut stieg in ihm auf.

Der Todesfürst lachte dreckig. „Ja, quäle dich nur und ärgere dich, bis du an deiner Wut erstickst."

Ein Weißhaariger kam angelaufen und flüsterte dem Todesfürsten etwas ins Ohr.

„In Ordnung, lasst die zweite Welle angreifen und schickt ein paar Nekromanten mit. Sie sollen ihnen einheizen."

Der Weißhaarige entfernte sich rasch und bog um eine Ecke.

„Ich muss zugeben, deine Freunde sind tapfer und früher hätte ich ihnen meinen Respekt entgegengebracht. Heute sind sie mir nur noch lästig."

Thom wollte seine Ohren verschließen, aber er konnte nicht. Er hasste diesen Magier mit jeder Faser, er hasste seine Überheblichkeit, hier reingestolpert zu sein, wie ein Welpe in eine Schlangengrube. Gadah hätte ihn dafür stundenlang geohrfeigt und er hätte es ihm noch nicht einmal übel genommen.

Holderar

Seine Arme brannten wie Feuer und er fühlte, dass er nicht mehr lange in der Lage sein würde, dieses Tempo durchzuhalten. Auch der Mensch hinter ihm war an seiner Grenze angekommen. Der Zwerg fasste einen Entschluss. „Legionär, denkst du, du schaffst es, zu unserer Truppe zu stoßen, ohne dich töten zu lassen, wenn ich dir den Rücken freihalte?" Ein weiter Hieb traf eine Spinne in den Kiefer.

„Um so zu enden, wie der arme Rik", keuchte Trohgis.

„Hier wirst du mit Sicherheit krepieren. Wenn wir dir den Weg frei schlagen, decke ich deine Flucht und du holst unsere Leute. Sag dem Blutlord, wie es hier aussieht. Ich glaube mit, allen Männern ist es ein Kinderspiel hier durchzumarschieren."

„Und du gehst hier drauf?"

„Lass das meine Sorge sein, Legionär. Also was ist?"

„Hier hinten sind nur noch vier der Biester, wenn wir die schaffen, ist der Weg frei für mich und wenn ich auf dem Weg meine Rüstung ablege, kann ich schneller laufen."

„Dann mach das. Leb wohl und mach deine Sache gut."

Holderar sprang zurück und drehte sich ihm Flug. Die beiden Äxte wirbelten im Flug in seinen Händen und versenkten sich in zwei Spinnen, die Trohgis den Weg versperrten.

„Los, spring über sie hinweg und nimm die Beine in die Hand." Holderar machte seine Waffen frei und warf eine Axt in die Spinne, die sich grade zum Sprung bereit machte.

Der Legionär lief los und sprang über die verbliebene Spinne. Holderar wirbelte herum und verschaffte sich mit einem weiten Schwung nochmal ein wenig Luft. „Lauf, Legionär, lauf und hol unsere Leute." Als Antwort bekam er das Trappeln der Stiefel zu hören. Jetzt galt es hoffen und so lange wie möglich durchhalten. Er hatte einen mordsmäßigen Durst und hätte seine linke Hand für ein Fass mit Bier gegeben. Er hob ein herumliegendes Schwert auf, was Trohgis verloren haben musste. „Dann bringen wir es zu Ende. Kommt her, ihr ausgeschissenen Hurenböcke." Blind schlug er mit dem Schwert nach hinten und spießte eine heranspringende Spinne auf. Klackernd quittierten die Verbliebenen den Tod ihrer Artgenossin und rückten vor.

„Für die Rotte und die Königin!", brüllte der Zwerg heiser und warf sich den Tieren entgegen. Beine, Körper, Klauen, wieder Beine. Er drosch auf alles ein, was in seine Reichweite kam.

Er hob grade seine Axt zu einem neuerlichen Schlag und spürte einen scharfen Schmerz in der Wade. Er schrie auf und fühlte, wie sein Bein lahm wurde.

Das war es, dachte er und sackte zu Boden. Er fiel zur Seite und alles verschwamm vor seine Augen. „Bruderherz, ich komme", flüsterte er und schloss die Augen.

Olizu

Gespannt starrten seine Männer zum Ausgang des Kanals, in dem Holderar mit den Legionären verschwunden war. Sie waren schon länger in dem Kanal als geplant. Sein Gefühl sagte ihm, dass etwas schief gegangen sein musste. Die Männer, die der Zwerg mitgenommen hatte, waren gute Männer und wären gewappnet gegen Schwierigkeiten. Was aber, wenn sie auf Dinge stießen, die sie nicht überwinden konnten?

„Herr, wie lange ist der Erkundungstrupp schon da drinnen?" Der Optio neben Olizu war ein altgedienter Legionär, der keinen Hehl daraus machte, dass er Olizu für einen Feigling hielt. Nur sein Offiziersrang schützte den Albino davor von ihm angeblafft zu werden.

„Zu lange. Ich glaube wir müssen davon ausgehen, dass ihnen etwas zugestoßen ist." Olizu mochte den Mann und wäre gerne freundschaftlicher mit ihm umgegangen, was aber nicht gut für ihn gewesen wäre. Wie hatte sein Ausbilder immer gesagt. Ein Offizier, der sich mit den Mannschaftsgraden einlässt und sich ihnen anbiedert, wird im Gefecht keine Kontrolle über sie haben.

Plötzlich passierte etwas!

Der Kanal spuckte einen Legionär aus, der bleich und schwer atmend sich auf dem Boden niederließ.

„Scheiße", fluchte der Optio und stürmte vor, um dem Legionär zu helfen.

Olizu folgte ihm. „Jeder bleibt, wo er ist, und haltet die Augen auf!", rief er den Männern zu.

Der Legionär war Trohgis, wie der Centurio jetzt erkannte. Der Optio kniete schon neben ihm, als er ankam. „Was ist geschehen, Soldat?"

Der Mann sammelte sich kurz und berichtete stockend über die Ereignisse, die ihnen im Kanal widerfahren waren. Nach seinem Bericht sank sein Kopf zurück und schloss die Augen.

„Ohnmächtig", stellte der Optio fest.

„Er hat auch Fürchterliches erlebt." Olizu stand auf und stemmte die Hände in die Hüfte. Seine Gedanken kreisten.

„Sollen wir den Mann zum Kriegskonsul bringen und die nächsten Befehle abwarten?" Der Ton des Optios verriet, dass er die Entscheidung seines Centurios am liebsten gar nicht erst abwarten würde.

„Nein", entschied Olizu. „Drei Mann sollen den Soldaten zum Blutlord bringen und ihm Bericht erstatten. Wir werden in den Kanal gehen."

„Herr?" Der Optio machte ein erstauntes Gesicht. Damit hatte er nicht gerechnet.

„Wir werden in den Kanal gehen und den Kanal erkunden."

„Alle Mann?"

„Ja, alle Mann. Mit Glück können wir durchstoßen und den Auftrag des Stoßtrupps beenden." Olizus Entscheidung stand fest.

„Zu Befehl, Herr." Der Unteroffizier salutierte und bewegte sich im Laufschritt zu den Männern. „Fertig machen zum Aufbruch, wir machen einen kleinen Ausflug."

Der Albino war stolz auf sich. Alles in ihm drängte zur Flucht, aber das würde nicht vom Blutlord akzeptiert werden. Hier galt es Eigeninitiative zu zeigen.

Gadah

„Wiederhole das nochmal, Legionär. Was hat Centurio Olizu getan?"

Der Legionär wich einen halben Schritt zurück, um der Wut des Blutlords zu entgehen. „Er hat den Befehl gegeben, mit der Centurie in den Kanal zu gehen."

Gadah schlucke hart und wütend.

„Danke, Legionär. Du kannst dich mit deinen Kameraden meiner Centurie anschließen, bis wir auf Centurio Olizu stoßen", mischte sich Hunerik ein.

Verwirrt sah der Legionär ihn an und entfernte sich dann.

„Dieser Idiot!", fluchte Gadah. „Er sollte nur beobachten und sichern. Stattdessen läuft der Kerl blindlings mit den Männern vielleicht in eine Falle."

„Du hast ihn dazu ermutigt mutig zu sein, jetzt verurteile ihn nicht, weil er deinem Rat gefolgt ist", versuchte Hunerik ihn zu beruhigen.

„Einen Scheißdreck hab ich. Er sollte seinen Befehlen folgen und seinen Männern ein Vorbild sein. Nicht sein Leben aus falschem Ehrgeiz wegwerfen. Wir können nur hoffen, dass er besonnen bleibt."

Huneriks Antwort ging in einem Husten unter.

Atriba hatte bislang geschwiegen. „Meine Herren, wir müssen weiter vorstoßen. In der momentanen Situation können wir nicht erwarten, den Feind zu überraschen."

„Ich weiß, was ich zu tun habe, Botschafterin!", fauchte Gadah. „Lasst ..."

Ein Warnton aus einer Trompete drang zu ihnen.

„Was ist dort los?"

Norderstedt kam angeritten. „Sie greifen an!", warnte er.

Die Ereignisse überschlugen sich, jetzt galt es einen kühlen Kopf zu bewahren. Gadah schluckte seine Wut herunter. „Lasst Schlachtaufstellung beziehen. Botschafterin, nimm deinen Platz ein bei deiner zugewiesenen Einheit. Norderstedt wird euch, wie geplant, begleiten."

Die Offiziere stoben davon und gaben die Befehle weiter.

„Bis jetzt lief alles schief, was schief gehen konnte." Atriba steckte die Hände in ihre Robe.

„Ein Plan ist nur so gut, wie die Männer, die ihn umsetzen müssen."

Atriba schüttelte den Kopf und stieg auf ihr Pferd. „Mach es gut, Blutlord. Ich hoffe, wir sehen uns später."

Gadah tippte sich an die Stirn und zog den Kinnriemen seines Helmes fest. Jetzt kam es drauf an. Nur sie standen zwischen dem Tod und dem Leben.

Thom

„Du wirst dich fragen, warum ich meine Armee deinen Freunden entgegenwerfe." Der Todesfürst stand mit Thom am Fenster eines hohen Turmes, aus dem man nicht nur die Stadt, sondern auch das Gelände vor der Stadt beobachten konnte. „Dort draußen", er deutete mit der Hand vor die Stadtmauer, „wirkt die Magie der Stadtmauer. Dort müssen deine Freunde nicht nur gegen meine Männer kämpfen, sondern auch mit ihrer Angst, die die Erbauer dieser Stadt dort gewirkt haben. Von hier aus können wir in Ruhe zugucken, wie sie untergehen."

Thoms Gegenwehr gegen sein fleischliches Gefängnis war erlahmt. Sein Peiniger hatte ihm die Fähigkeit zu sprechen wiedergegeben. „Wenn ich schon hier mit dir stehen und dein Werk ansehen muss, erkläre mir wenigstens, warum du meine Familie hast ermorden lassen."

Der Todesfürst ließ sich lange Zeit mit der Antwort, fast dachte Thom schon, er würde keine bekommen. „Deine Familie war nicht das Ziel, sondern einzig und alleine du."

„Wegen dieser Prophezeiung? Niemand kann wissen, ob ich es bin, der erwähnt wird."

„Unterbrich mich nicht!" Wieder schwieg der Todesfürst, bevor er fortfuhr. „Glaubst du wir spielen ein neues Spiel? Immer wieder gab es jemanden, der große Pläne geschmiedet hat, eine neue Weltordnung den Menschen offenbaren wollte. Diesmal ist es aber anders. Ich habe eine Möglichkeit gefunden, die göttliche Macht der Unterwelt anzuzapfen und anzuwenden. Wir lassen die Toten für uns kämpfen und schonen unsere eigenen Männer. Und das perfide dabei ist, es werden immer mehr Tote, sodass unsere Armee und Macht wächst, während deine Freunde immer weniger werden."

Thom musste anerkennen, dass der Todesfürst mit seiner Logik durchaus in der Lage war, zu triumphieren.

„Ich sehe, du erkennst langsam, wer in diesem Konflikt den Sieg davontragen wird. Aber du willst noch wissen, warum ich dich für denjenigen halte, der dafür bestimmt ist, das Gleichgewicht wieder herzustellen und die neue Ordnung zu verhindern." Er sammelte sich kurz, bevor er fortfuhr. „Jeder magisch Begabte besitzt seit seiner Geburt eine Aura, die von Suchern erkannt wird. In deinem Fall hattest du das Pech von jemandem erkannt worden zu sein, der in meinen Diensten steht. Dieser Jemand hat erkannt, welches Potential du besitzt und dass es nicht mehr lange dauert, bis es aus dir hervorbricht. Er hat dich über Jahre hinweg im Auge behalten und einem meiner Diener Nachricht gegeben, als die Kraft in dir anschwoll."

„Der König!"

„Der tote König! Er hat Höhenflüge bekommen und musste beseitigt werden. Jemand, der nicht weiß wo sein Platz ist, hat nichts bei mir zu suchen."

„Wer war es, der mich beobachtet hat? Wer hat uns verraten und ist für den Tod meiner Familie verantwortlich?" Thom fühlte die Wut in sich aufsteigen.

„Du kennst ihn unter dem Namen Tamir Sedal."

„Unser Seher?"

„Ein Mitglied unserer Bruderschaft, der mir treu ergeben ist."

„Unglaublich."

„Leider haben die Männer, die ausgesandt wurden, ihre Arbeit nicht richtig gemacht. Sie hielten dich für tot. Und seitdem weigerst du dich beharrlich zu sterben."

Thom wollte aufbegehren und dem Fürsten an die Kehle springen, aber nach wie vor war sein Körper sein Gefängnis.

„Und jetzt, sieh zu, wie meine Armee deine Freunde zermalmen."

Holderar

Ihm war schlecht wie nie zuvor. Nicht nach seinem schlimmsten Vollrausch war ihm so elend im Magen zumute gewesen wie jetzt. Willst du mich noch nicht an deiner Tafel haben, Bruder?

Er war mit klebrigen Fäden umsponnen und konnte sich nicht rühren. Er hing kopfüber von einer hohen Decke herab und um ihn herum waren Netze gesponnen und in unregelmäßigen Abständen hingen andere eingesponnene Wesen. Von den Spinnen war keine Spur zu sehen.

„So ein Scheißdreck!", entfuhr es dem Zwerg. Sofort rief er sich zur Ordnung und biss sich auf die Zunge. Auch wenn die Spinnentiere nicht zu sehen waren, so könnten sie noch in der Nähe sein und lauern.

Er kämpfte gegen die Übelkeit und die Müdigkeit. Er lebte noch und musste versuchen zu entkommen, aber so eingeschnürt wie er war, konnte er froh sein, mit den Wimpern klimpern zu können.

Sein Gesicht war frei, und so konnte er sich zumindest umschauen. Der Raum gehörte auf keinen Fall zum Kanal, in dem sie gegen die Tiere gekämpft hatten. Befand er sich etwa schon in der Nekropole? Es war anzunehmen, dass die Spinnen eine Art Nest hatten und nur zur Jagd in die Kanäle gingen.

Warum war er nicht tot? Rik war unmittelbar getötet und ausgesaugt worden. Irgendwas musste Spinnen gestört haben! Holderar lauschte, aber das Rauschen von seinem eigenen Blut in seinen Ohren war zu laut. Er atmete tief durch und merkte, dass es anstrengend war, frische Luft in seine Lungen zu pumpen.

Da klirrte etwas!

Holderar lauschte nochmal und hielt die Luft an. Jetzt hörte er was. Stimmen, Schreie, Klirren von Schwertern. Das mussten die Soldaten sein, die vor dem Kanal auf seinen Trupp gewartet hatten. Er lauschte auf den Lärm. „Ja, gebt es ihnen, Jungs. Haut sie entzwei." Etwas klapperte in seiner Nähe und er erstarrte. War doch eines der Biester in der Nähe. Den Fluch, der ihm auf den Lippen lag, verbiss er sich.

Unter ihm stürmten die ersten Soldaten in den hohen Raum und trieben die wenigen verbliebenen Spinnen vor sich her. Die Legionäre hackten und schlugen auf die Viecher ein, was das Zeug hielt. „Dann sterbe ich wenigstens in der Gewissheit, dass mein Tod gerächt wurde." Langsam kam das fiese haarige Antlitz einer Spinne in sein Blickfeld. Gierig schlossen und öffneten sich die Kieferklauen, von denen der Geifer oder ihr Gift tropfte. Holderar wusste es nicht und es war ihm egal. Es würde zu Ende sein; hier und jetzt.

Olizu

Mut bewiesen zu haben tat gut. Er stand inmitten seiner Männer und kämpfte gegen die Spinnen, die eine nach der anderen den Klingen der Legionäre zum Opfer fielen. Nicht nur er hatte Mut bewiesen, sondern auch seine Männer. In der Halle, in die sie sich vorgekämpft hatten, waren Netze gespannt, die man zerschlagen musste. An der Decke hingen eingesponnene Opfer der Spinnen.

Olizu schüttelte es bei dem Gedanken, diesen Tieren zum Opfer zu fallen. Sein Blick ging zur Decke und sah, dass dort noch eines der Tiere im Begriff war, sich über eines der Opfer herzumachen. Zwar war ihr Opfer wohl schon tot, aber von einem dieser Biester ausgesaugt zu werden, das hatte man selbst im Tod nicht verdient.

„Schütze! Hol das Vieh da oben herunter." Der Centurio deutet mit dem Finger nach oben und wies dem Armbrustschützen die Zielrichtung.

Sofort hob der Schütze seine Armbrust an die Schulter, zielte kurz und drückte ab. Sirrend flog der Bolzen davon und schlug in den fetten Spinnenleib ein. Hilflos fiel die Spinne zu Boden und ihr Körper zerplatzte am Boden.

„Das war die Letzte, Herr." Sein Optio steckte sein Schwert ein und blickte zufrieden seine Legionäre an.

„Sehr gut. Danke Optio."

„Ha, Centurio Olizu, du alter weißhäutiger Bastard. Viel Zeit hättest du dir aber auch nicht mehr lassen dürfen."

Der Centurio und seine Männer schauten hoch und wunderten sich, dass das Bündel an der Decke sprechen konnte.

„Das ist der Zwerg. Holt ihn herunter."

Gleich machten sich zwei Legionäre auf und kletterten zu Holderar hoch. Olizu beglückwünschte sich. Sein Mut hatte sich ausgezahlt, das war sicher.

Hunerik

Er spornte seine Legionäre zur Eile an, damit sie rechtzeitig in Position kamen. Er musste mit seiner Centurie die linke Flanke sichern, während Goldfuß mit seinen Zwergen und Atriba die rechte Flanke übernehmen sollte. Gadah stand in der Mitte mit Luzil. Ihre Schlachtreihe war nicht so breit, wie er sich das gewünscht hätte.

Der Feind verfolgte eine andere Taktik als ihr Heer. Während sie kompakt standen, versuchten die Untoten sie einzukreisen und ihre Schlachtreihe zu strecken. Leider gefiel Hunerik gar nicht, was er da sah. Die Untoten, die vor der Nekropole Aufstellung bezogen, waren bewaffnet und gerüstet, zudem waren sie zahlreich. Und wie zahlreich sie waren! Er schätzte das Kräfteverhältnis auf drei zu eins. „Weiter ausschwärmen!", befahl er. Bellend gab sein Optio den Befehl weiter und die Legionäre reagierten. Eine Kampfreihe in der Tiefe wurde aufgelöst und dafür verbreitert. So konnten sie verhindern, dass man sie umging und in den Rücken fallen konnten.

Er hustete und verwünschte seine Krankheit. Er war froh, seinen Kampfstock dabei zu haben und sich auf ihn stützen zu können. Ein Schwert hing zusätzlich an seiner Seite aber er bezweifelte, dass er es benutzen würde. Er war nie sonderlich geschickt damit gewesen.

In seinem früheren Leben war er berüchtigt gewesen für die Schnelligkeit mit seinem Kampfstock. Bevor er zu den Zauberjägern ging, war er aus einigen Turnieren siegreich hervorgegangen, die von der Armeeführung veranstaltet worden waren. Und während er aufmerksam der Bewegung seiner Männer folgte, dachte er an den Abend zurück, an dem er zur Legion gegangen war.

An jenem Abend war er von der Jagd gekommen und wollte die Felle verkaufen, die er einigen Hasen, Ozelots und Bibern abgezogen hatte. Damals, voll in seiner Jugend stehend, war er in die Wälder gezogen und für zwei Jahre dortgeblieben. Seine Eltern hatte er nicht gekannt und so war er von seinem Onkel aufgezogen worden, der mit ihm abseits der Zivilisation gelebt hatte. Nach dem Tod seines Onkels war er in die Wälder gezogen, um zu jagen. Er war erfolgreich gewesen und so ritt er an jenem Abend hungrig und durstig in die kleine Stadt, um seine Felle zu verkaufen, und sich ordentlich zu amüsieren. Das Erste was in die Hose ging, war der Verkauf der Felle. Der Händler entpuppte sich als einziger seiner Art im Umkreis von zwanzig Meilen und so konnte er die Preise nach belieben festsetzen. Ein Drittel des eingeplanten Gewinns war dahin. Schlecht gelaunt steuerte er die nächstbeste Schenke an, um seinen Ärger herunterzuspülen, landete dabei aber in einem Gebäude im dunklen Teil der Stadt, in der Zuhälter, Taschendiebe und andere dunkle Gesellen ihr Unwesen trieben. Das erste Bier in der schmierigen Schenke schmeckte nach Pisse, das Achte genießbar. Beim zehnten Bier gesellte sich eine billig geschminkte Hure zu ihm und legte ihre Hand auf seinen Arm.

„Hau ab!", nuschelte er, noch bevor sie ihm ein anzügliches Angebot unterbreiten konnte.

Wie es schien, war die Hure nicht an Abfuhren gewohnt, denn sie wanderte mit der Hand seinen Arm herauf. „Bist wohl schüchtern? Vertrau drauf, ich kann dir einiges beibringen. Für fünf Kupferstücke treiben wir es die ganze Nacht."

Hunerik drehte sich jetzt zu der Frau um, die durch die starke Schminke ihre Falten verdecken wollte. „Frau, ich gebe dir drei Kupferstücke, wenn du dich verpisst und mich in Ruhe trinken lässt." Er griff in die Westentasche und knallte ihr drei Kupfermünzen auf den Tresen, drehte sich dann wieder weg.

„Du arroganter Wichser!", beschimpfte die Frau ihn, strich aber die Münzen ein und verschwand im hinteren Teil der Schenke.

Froh, sich wieder seinem Bier widmen zu können, schenkte er sich selbst aus. Leider hielt die Freude über die Ruhe nicht lange, denn zwei Legionäre torkelten in die Schenke. Die zwei waren bereits mächtig angeheitert und lallten das übliche Zeug, was Betrunkene üblicherweise von sich geben. „Du, diese Dunkelhaarige mit den großen Titten, das war vielleicht eine heiße Stute, sag ich dir."

„Meine war aber auch nicht schlecht. Saugen konnte die, wie ein Kälbchen an einer Kuhtitte."

Beide lachten dreckig und bekamen vom Wirt zwei Flaschen Fusel vor die Nase gestellt, die beide direkt entkorkten und an den Mund setzten.

„Hey, zahlen", forderte Hunerik den Wirt auf, bei ihm zu kassieren.

„Ja, das wollen wir auch." Drei Fremde waren mit der Hure zurückgekommen und verstellten ihm jeden Fluchtweg.

„Was wollt ihr?" Hunerik war genervt.

„Alles!" Der Anführer zog ein Messer und fuchtelte damit herum. „Dein Geld und alle Wertsachen, die du bei dir hast. Und wenn du schön mitspielst, darfst du vielleicht lebend hier raus marschieren."

Hunerik zögerte gar nicht lange. Er kippte dem Redner den Rest seines sauren Bieres in die Augen und ließ den Tonbecher in das Gesicht des linken Mannes krachen. Jaulend sank der Mann zu Boden und hielt sich die blutenden Schnittwunden.

Dann war sein Glück vorbei. Der dritte Mann erwischte ihn mit einem brutalen Schwinger gegen das Ohr und schmetterte ihn zu Boden. Als Hunerik sich wieder hochstemmen wollte, traf ihn ein Stiefel in die Rippen und raubte ihm die Luft. Durch den Schwung des Trittes wurde er herumgeschleudert und lag auf dem Rücken. Er merkte, wie ihm das saure Bier die Kehle hochstieg. Sofort war der Anführer über ihm und wollte Hunerik seine Faust ins Gesicht stoßen, aber ein Restreflex sorgte dafür, dass er den Kopf wegzog und die Faust seines Kontrahenten nur den Holzboden traf. Vor Schmerz schrie der Mann auf.

Hunerik umklammerte das rechte Bein des Mannes und warf sich herum. Der Anführer schrie abermals als sein Bein mit einem trockenen Knacken brach. Zufrieden schlug er dem Mann die Faust aufs Kinn und setzte ihn vollkommen außer Gefecht.

„Das wirst du bereuen!", verkündete der Mann, dem er den Tonkrug im Gesicht zerschmettert hatte und zog ein Messer. „Dafür schneide ich dir die Eier ab."

Hunerik kam auf die Beine und musste feststellen, dass sein Messer aus der Scheide gerutscht war. Es zu suchen machte keinen Sinn, da jetzt auch der zweite Mann wieder auf die Beine kam.

„Und ich steche dir die Augen aus." Auch er zog ein Messer und versuchte in Huneriks Rücken zu gelangen.

Beide konnte er nicht gleichzeitig im Auge behalten. Vorhin hatte er sie überraschen können, aber jetzt war er im Nachteil. Die zwei verbliebenen Angreifer zeigten, dass sie nicht zum ersten Mal jemanden in die Zange nahmen. Mit etwas Glück konnte er noch einen erwischen, bevor er eines der Messer zwischen die Rippen bekam. Er warf einen der Tische um und stieß ihn von sich.

Unbeeindruckt wichen beide aus und näherten sich ihm weiter.

„Hey, jetzt ist Schluss mit der Keilerei." Die beiden Legionäre waren aufgestanden und hatten sich hinter den Männern aufgestellt. Ihre Hände lagen auf ihren Schwertgriffen. Eine unverhohlene Drohung.

„Wollt ihr euch jetzt einmischen?", fragte der Eierabeschneider vorsichtig, „Ihr braucht dann unser Viertel nie wieder zu betreten."

„Das macht nichts. Das Bier hier schmeckt wie Schafspisse, eure Frauen sind hässlich wie der Arsch eines Bären und der Schnaps ist der schlimmste Auswurf der Götter." Vorhin noch einigermaßen betrunken, sprach der Mann jetzt klar und deutlich.

Der Eierabschneider und der Augenausstecher verständigten sich mit einem kurzen Blick und steckten die Messer weg. „Das werdet ihr uns büßen."

„Später, und jetzt haut ab, bevor wir es uns anders überlegen."

Die Männer setzten sich in Bewegung.

„Halt! Nehmt euren einbeinigen Freund mit. Er braucht einen Heiler."

Ohne ein weiteres Wort nahmen sie ihren Kumpanen auf und trugen ihn durch die Türe.

Hunerik entspannte sich. „Danke. Ich stehe in eurer Schuld." Er ging auf die Legionäre zu und streckte die Hand aus.

„Freue dich nicht zu früh. Die Bastarde werden jetzt draußen ihre Freunde zusammentrommeln und versuchen uns zu erledigen. Wir müssen zu unseren Kameraden zurück." Nach einer kurzen Pause setzte er hinzu: „Und du solltest uns begleiten." Der Legionär setzte ein offenes Lächeln auf, was seine Augen strahlen ließ.

Er überlegte kurz. In einer fremden Stadt würde er im Handumdrehen ein Messer im Rücken haben und niemanden würde es kümmern. „Einverstanden", stimmte er dem Angebot zu. „Mein Name ist Hunerik."

Der Legionär mit dem Lächeln streckte die Hand aus. „Ich bin Optio Erkilor. Es ist mir eine Freude, demnächst mit dir zu kämpfen."

„Herr, Sollen wir angreifen?" Der Optio stand vor Hunerik und deutete auf die Reihen der Untoten, die sich in Bewegung gesetzt hatten.

Hunerik riss sich von seinen Erinnerungen los. „Ja, Angriff. Im Schritt nach vorne marschieren." Der Optio gab seinen Befehl weiter und die Männer setzten sich in Bewegung. Es ging los. Dies würde sein letzter Kampf werden hatte er sich geschworen. Rasselnd hustete er und spuckte einen Blutklumpen ins Gras. Sein letzter Kampf!

Holderar

„Geht es dir wieder gut?" Olizu beugte sich zu dem Zwerg herab und betrachtete ihn besorgt.

„Es geht schon." Holderar stand mühsam auf und musste nach Luft schnappen, weil ihm schwindelig war. Ihm verschwamm alles vor Augen und er musste sie für einen Moment schließen.

„Das sieht aber gar nicht so aus. Ich werde einen Mann dazu abstellen, der auf dich aufpasst."

„Ich brauche kein Kindermädchen." Insgeheim glaubte er nicht daran, dass er dem Spinnengift noch lange widerstehen konnte. „Wir müssen weiter, Centurio. Ich bin nicht darauf erpicht weiteren Spinnen zu begegnen, wenn hier weiter herumkriechen."

„Das sind wir alle nicht. Ich lass den Aufbruch befehlen."

„Ich gehe vor. Ich bin der, der sich unter der Erde auskennt", beschloss Holderar.

„Einverstanden, du gehst voraus und zwei Männer begleiten dich."

„Zwei Kindermädchen", kommentierte der Zwerg und ging schwankend voraus.

„Der Vorhut in einem Dutzend Schritte Abstand folgen." Der Albino dämpfte die Stimme und der Befehl wurde von seinen Legionären weitergegeben. Kurz darauf setzte sich der Zug in Gang.

Holderar fühlte sich wie nach drei Fässern des schlimmsten gepanschten Zwergenbrandes. Vor seinen Augen verschwamm alles und die Luft wurde knapp. Hauptsache er kam voran. Immer einen Fuß vor den anderen setzend führte er die Legionäre an, bis sie zu einer großen eisernen Pforte kamen.

„Was ist das?" Olizu stand neben ihm und stemmte die Arme in die Hüfte.

„Eine große Türe." Er lachte und musste gleich drauf nach Luft ringen.

„Mit ein wenig Glück ist das der unbewachte Zugang zur Nekropole, den wir gesucht haben." Der Centurio klopfte mit der Hand gegen die Pforte. „Leider ist sie verriegelt; und zwar von der anderen Seite."

Holderar suchte die Pforte ab. „Ja, aber die Schwachstelle einer jeden Türe sind die Angeln." Er deutete auf die Seiten der Flügel. „Mit ein paar kräftigen Axthieben sollten sie klein-zukriegen sein."

„Gutes Auge, Herr Zwerg."

„Sehe ich aus wie ein verdammter Adeliger? Nenne mich ja nicht nochmal Herr." Ein Lächeln umspielte Holderars dichten Bart und er zog seine Axt. „Und jetzt tritt zurück, damit mein Zwergenstahl seinen Dienst tun kann."

Schnell sprang Olizu zurück.

Holderar schwang seine Axt und es kam ihm so vor, als ob sie zehnmal schwerer war als sonst. Krachend fuhr die schwere Schneide auf die Nahtstelle der Angel. Funken flogen davon. Direkt nochmal schwang er die Waffe und sie traf auf die gleiche Stelle. Holderar spürte die Erschütterung des Auf-pralls bis in die Schultergelenke. Ein Zeichen von Schwäche, durchfuhr es ihn, aber er ignorierte es. Er holte nochmal tief Luft und schwang die Axt abermals. Splitternd zersplitterte der Stahl der Angel. „Das hätten wir. Freiwilliger vor für die obere Angel." Holderar setzte seine Klinge zu Boden. Er musste nur für einen Augenblick Luft holen, dann würde der verdammte Schwindel nachlassen.

„Mit Verlaub, du siehst aus wie das, was aus dem südlichen Ende einer Kuh herausfällt." Olizu griff nach der Axt. „Ich werde mich um die andere Angel kümmern. Ruh dich aus."

Bereitwillig ließ er den Stiel los und beobachtete Olizu bei seiner Arbeit.

Klirrend zersprang auch die zweite Angel. Der Centurio sprang zur Seite, damit er nicht von dem umkippenden Flügel getroffen wurde, der unter lautem Getöse auf den Boden fiel.

Müde nahm Holderar seine Axt wieder an sich. „Gut gemacht, Centurio."

Hinter der offenen Seite präsentierte sich eine Treppe, die nach oben führte.

„Der Weg nach oben ist frei. Auf in die Nekropole." Olizu strahlte einen gewissen Stolz aus.

„Dann auf. Ich will noch ein paar dieser verlausten Leichen das Licht ausblasen, bevor ich krepiere."

Atriba

Die Clanführer Goldfuß und Schildbuckel waren ihr zugeordnet worden. Schildbuckels Männer hatten sich geweigert, die Schutzamulette zu nehmen. So hatte Goldfuß und sein Clan die Amulette genommen. Norderstedt hatte sich mit seinen beiden Leibwächtern hinter Atriba positioniert. Er wusste, dass sie die größeren magischen Fähigkeiten besaß und wollte sie schützen.

Goldfuß stand breitbeinig vor seinen Leuten und starrte auf die näher kommende Wand von untotem Fleisch. Atriba musste dem Zwerg zugestehen, dass sie von ihm beeindruckt war. Weder Zorn noch Angst zeigte sich in seinem Gesicht. Seine Erscheinung war die eines Königs würdig. Sie hoffte, dass er überleben und den Thron besteigen würde.

Atriba ging vor die eigenen Reihen und konzentrierte sich ganz auf sich selbst. Sie wollte die Reihen des Gegners ein wenig zu lichten, bevor Schildbuckel die erste Angriffswelle startete.

„Beschützt die Botschafterin", sagte Norderstedt und kam mit Krok und Züleyha ebenfalls nach vorne um sie zu umringen und abzuschirmen.

Ihre Kraft brannte heiß in ihren Fingerspitzen und wollte losgelassen werden. Und sie ließ sie los. Feuerräder mit lodernden Flammen entsprangen der Luft und rollten in Richtung der Untoten. Kein Schreien oder Weglaufen, wie es bei lebenden Gegnern der Fall gewesen wäre, passierte. Unbeeindruckt marschierten die Reihen weiter auf sie zu.

Dort, wo die Feuerräder auf die Untoten trafen, richteten sie Unheil an. Die Leichen fingen Feuer oder wurden zur Seite geschleudert, sodass sich der Vormarsch verlangsamte. Atriba wiederholte das ganze noch dreimal. Mehr konnte sie nicht, ohne zu riskieren nicht mehr genug Energie für den Schutz der Zwerge übrig zu haben, sollte es zu einem magischen Angriff kommen.

Sie gab Schildbuckel einen Wink und er griff mit seinen Männern an. Hoch reckte er seine Hand in die Höhe. „Für die Rotte und die Königin!", erschallte der Schlachtruf über das Schlachtfeld. Seine Männer nahmen den Ruf auf und gleich darauf liefen die Zwerge schreiend und johlend den Reihen der Untoten entgegen.

„Eins muss man ihnen lassen, die kleinen Kerle sind an Tapferkeit kaum zu überbieten", sagte Krok.

„Wohl wahr." Atriba nickte nun auch Goldfuß zu, der böse lächelte.

„Mir nach!" Der wohl zukünftige Zwergenkönig rannte los und sein Clan folgte ihm mit dem gleichen Getöse wie vorhin Schildbuckel und seine Männer vorgerückt waren.

Atriba und Norderstedt standen jetzt mit Krok und Züleyha alleine und beobachteten gemeinsam, wie das Hauen und Stechen begann.

„Ich komme mir blöd vor, hier hinten zu stehen und mir die Eier zu schaukeln." Krok klappte seinen Metallarm aus und warf Norderstedt einen Seitenblick zu.

Dieser verstand. Wortlos zog er sein Schwert. „Züleyha, du bleibst bei der Botschafterin und passt auf sie auf."

„Wer sagt denn, dass ich hier zurückbleibe?" Atriba warf ihren Umhang zur Seite und marschierte los.

Die anderen folgten ihr und zogen ihre Waffen. „Bring dich nicht in Gefahr, Atriba", warnte Norderstedt.

„Das sagst du mitten auf einem Schlachtfeld, sehr geistreich." Die Botschafterin lachte auf und ging ungerührt weiter.

„Na dann hoffe ich, nachher mit euch allen einen trinken zu können." Krok rannte brüllend los und überholte die anderen.

Holderar

Die Treppe führte hinauf in eine weitere Halle und sein Gefühl sagte ihm, sie befanden sich wieder über der Erde. „Wir sind da", verkündete er. „Wie ist dein Plan, Olizu?"

„Rausgehen und alles zu Klump schlagen, was nicht menschlich ist."

Holderar lachte trocken und wischte sich den Schweiß von der Stirn, der ihm in Strömen vom Körper floss. „Menschlich oder zwergisch", setzte er nach.

„Menschlich oder zwergisch", bestätigte Olizu und zog seine Klinge. „Männer, mir nach!" Den Centurio ging voraus, direkt auf ein Portal. „Schützen, nach vorne!"

Die Männer mit den Armbrüsten kamen nach vorne und spannten ihre Waffen. Auch sie hatten die speziellen Bolzen, die für die Armbrüste hergestellt worden waren.

„Du und du. Ihr macht die Flügel auf und passt auf, dass sie nicht wieder zufallen", bestimmte Olizu und bezog hinter den Armbrustschützen Position. „Angriff!", schrie er und die beiden Legionäre rissen die Flügel auf. Helles Licht fiel ihnen in die Augen.

„Vorwärts, raus an die frische Luft", feuerte der Centurio seine Legionäre an und alle liefen los.

Holderar ließ sich durch den Schwung der Gruppe mit hinaustragen, die Axt vor die Brust gepresst. Seine Beine bewegten sich wie von selbst. Dann war er draußen. Der Druck der Leiber ließ nach und die Legionäre verteilten sich auf einem weitläufigen Platz. Keine Feinde waren zu sehen. Menschenleer lag der Platz vor ihnen. Nur der Kampflärm war zu hören. Die Soldaten entspannten sich etwas.

„Wir rücken vor! Zehn Mann bleiben mit Optio Holderar zurück und sichern den Gang. Der Rest folgt mir." Olizu wählte zehn Mann aus, die bei ihm bleiben sollten, und rückte dann im Laufschritt in Richtung der kämpfenden Heere ab.

„Mach es gut, weißer Krieger. Du bist besser, als wir dachten." Holderar kniff die Augen zusammen und versuchte die Doppelbilder zu vertreiben.

„Was sollen wir jetzt hier tun?", maulte ein dicker Legionär, der bei ihm zurückgeblieben war.

„Krault euch gegenseitig die Eier, aber haltet die Schnauze, wir sollten uns so unauffällig verhalten wie möglich." Holderar sah sich die Umgebung an. Hohe Gebäude säumten den Platz. „Verteilt euch etwas und haltet die Augen offen", befahl er. Es gefiel ihm gar nicht, hier so auf dem Präsentierteller zu stehen. Mit einem Haufen Schützen hätte man ihnen leicht den gar ausgemacht, aber nichts dergleichen geschah.

Nur das Knarzen von Leder und leises metallisches Klappern war zu hören. Über allem lag der Schlachtenlärm vor der Nekropole.

Holderar fluchte leise und spuckte aus. Wenn er nur nicht so schwitzen würde wie ein Ochse in seinem Joch. Verdammtes Spinnengift. Ihm wurde schwindelig und er lehnte sich an die nächste Mauer, bis der Anfall vorbei war. Wie lange würde es dauern, bis das Gift ihn gänzlich niederstreckte? Einen Tag? Eine Woche? Hundert Atemzüge? Lieber wäre er mit einer Axt im Schädel gestorben, oder mit einem Schwert aufgeschlitzt, dass die Gedärme aus ihm herausquellen. Er wollte im Kampf sterben. Dieser Wunsch würde ihm wohl verwehrt bleiben. Er warf den Kopf in den Nacken und erstarrte. Sah er jetzt schon Trugbilder? Holderar schüttelte seinen Kopf. Das konnte nicht sein. Er konzentrierte sich und kniff die Augen zusammen. Da oben, in dem hohen Turm. So hoch droben, aber doch gut zu erkennen. Aber konnte er seinen Sinnen trauen?

„Soldat", rief der Zwerg den am nächsten stehenden Legionär zu sich.

„Was gibt es, Optio?"

„Schau da hinten hin, in dem hohen Turm, was siehst du da?"

Der Legionär kniff die Augen zusammen und zuckte mit den Schultern. „Zwei Männer. Einer in einer blauen Robe, der andere in einem schwarzen Kettenhemd."

Holderars Herz tat einen Hüpfer. Er hatte sich nicht getäuscht. Er fasste seine Axt fester und schulterte sie. „Fünf Mann folgen mir, die anderen bleiben hier am Ausgang des Ganges. Sollte es notwendig sein die Flucht anzutreten, wartet nicht auf uns." Neue Kraft schien sich seiner zu bemächtigen. Er ging los und hielt den Turm fest im Auge. Fünf Legionäre folgten ihm widerwillig.

Es erwies sich, dass der Turm näher war als gedacht. Allerdings wären sie fast einer Gruppe Untoter in die Arme gelaufen. Als sie um die eine Ecke bogen, standen sie vor einem Nekromanten mit einem Dutzend Untoter. Holderar sah die Überraschung in den Augen des Magiers, fing sich aber schnell wieder. „Auf sie!", schrie er und stürmte vor. Die Legionäre folgten ihm und zogen ihre Schwerter, hielten ihre Schilde hoch.

Der Zwerg erreichte zuerst den weißhaarigen Nekromanten und ließ ihn seine Axtklinge schmecken. Holderar trennte ihm das Bein knapp über dem Knie ab. War seine Axt immer so schwer gewesen? Mit dem Kopf voraus rannte er in den nächsten Untoten hinein und riss ihn mit sich zu Boden. Dann waren die Legionäre auch im Getümmel und mitten im Kampfgeschehen.

Die Untoten, ihres Nekromanten beraubt, wehrten sich nur schwach und wurden schnell niedergemacht. Nur einer der Legionäre hatte eine Schnittwunde an der Wange.

Schwer atmend stand Holderar wieder auf. „Los, weiter, bevor sie uns bemerken."

Wahrscheinlich würden noch mehr dieser Gruppen hier draußen rumlaufen. Er musste zu dem Turm, unbedingt. Thom war dort und brauchte bestimmt seine Hilfe.

Die Legionäre liefen weiter die breite Straße entlang auf den Turm zu.

Fast hätte Holderar ihr Glück gepriesen, aber dann erschienen aus zwei Seitenstraßen zwei neue Gruppen von Untoten samt Nekromanten. Sie waren nah genug und konnten ihnen den Weg abzuschneiden, wenn sie jetzt loslaufen würden.

Taten sie aber nicht!

Ganz ruhig steuerten sie Holderar und die Legionäre an, die zwischen ihnen durchliefen. „Ihr haltet sie auf, während ich hineingehe." Sein Blick verschwamm kurz, klärte sich dann aber wieder schnell.

„Und wenn du auf Feinde stößt? Dann brauchst du uns." Der dicke Legionär hatte recht, wenn er drinnen auf noch mehr der halbverwesten Bastarde stoßen würde, wäre er schlecht dran. Aber das Risiko musste er eingehen. Würden sie alle hineingehen, bestünde die Gefahr, dass ihnen die Nekromanten mit ihren Geschöpfen folgten und sie hier festnagelten.

„Das Risiko muss ich eingehen. Viel Glück Männer!" Er rannte mit Schwung auf die Eingangstüre zu, Schulter voraus.

Ohne großen Widerstand gab die Türe nach und er stand im Halbdunkel. Hinter ihm begann der Kampf, aber darum konnte er sich jetzt nicht kümmern. Thom war wichtig. Einen kurzen Augenblick zum Luftholen gönnte er sich, dann betrat er die erste Stufe der Treppe.

Thom

Sie standen am Fenster es Turms und beobachteten weiterhin die Schlacht, in der noch keine Seite einen entscheidenden Vorteil erringen konnte.

„Deine Freunde halten sich gut."

Thom schwieg einfach. Er wusste, dass er wehrlos in der Gewalt des Mannes war und so zog er sich zu sich selbst zurück. Dem, was ihm geblieben war: seinem freien Geist.

Die seitliche Türe flog auf und Thom traute seinen Augen kaum. Dort stand Holderar, seine Axt in beiden Händen haltend. Sein Freund sah mitgenommen aus. Das Haar klebte ihm verschwitzt am Schädel und er war weiß wie ein Leichentuch.

Der Todesfürst flog herum und entließ eine schwarze Wolke seinem geöffneten Mund, die Holderar entgegen schwebte.

Sein Freund hatte einen müden Gesichtsausdruck und wenn Thom genau hinsah, schwankte er im Stehen.

Um Holderar flammte die grüne Aura auf und die schwarze Wolke löste sich auf. Unversehrt stand der Zwerg immer noch in der Türe.

„Ich hoffe, es geht dir gut, Thom."

Die Antwort musste Thom schuldig bleiben, da der Todesfürst ihm den Mund versiegelt hielt.

Holderar schien es nicht zu stören. „Ruf deine verfluchten Nekromanten und dein Ungeziefer zurück, dann lasse ich dich am Leben."

Staunen wich einem schallenden Lachen, was der Todesfürst ausstieß. „Oh, Zwerg. Es hat doch seine Vorteile mit Lebenden zu tun zu haben, sie überraschen einen und bringen einen zum Lachen. So jemanden wie dich könnte ich gut in meiner Armee gebrauchen."

Der Zwerg verzog keine Miene. „Also?"

„Also was?" Der Todesfürst legte den Kopf schief und verschränkte die Arme vor der Brust.

„Holst du deine Leute zurück und ergibst dich?"

„Warum sollte ich?"

„Ich wusste, dass du das sagen würdest." Holderar hob seine Axt über den Kopf und ließ sich nach vorne fallen, um genug Schwung zu haben. Präzise, mit nur einer Drehung in der Luft flog die Axt auf den Todesfürsten zu und schlug mit einem schmatzenden Geräusch in dessen Schädel ein.

Vom Schwung der Waffe mitgetragen fiel der Körper des Todesfürsten hinterrücks aus dem Fenster.

Thom fühlte, wie sich die eisige Klaue entfernte und er sein Körpergefühl wiedererlangte. Er stöhnte auf.

„Alles in Ordnung, mein Freund?"

Thom wusste es nicht. Er hatte wieder Gefühl im Körper und konnte seine Gliedmaßen kontrollieren. „Ich glaube schon."

„Was ist überhaupt passiert?" Der Zwerg schlenderte zum Fenster und schaute herunter. Auf dem Boden, tief unter ihm, lag der zerschmetterte Leib des Todesfürsten. „Ich hoffe, meine Axt ist noch aufzufinden." Er schaute Thom von der Seite an. „Siehst scheiße aus."

„Du siehst aber auch nicht aus wie das blühende Leben", konterte Thom.

Holderar zuckte gleichgültig mit den Schultern. Thom sah die Schwäche seines Freundes. „Bist du verwundet?"

„So etwas ähnliches."

„Ich sehe aber kein Blut."

„Lass es gut sein. Bitte!"

In der Ferne sahen die Freunde, wie Olizu der Hauptstreitmacht zu Hilfe kam und die Reihen der Untoten von hinten aufmischte.

„Der Albino hat Mut. Er hat mir vorhin den Arsch gerettet." Holderar deutet auf Mindokar. „Dort unten könnten ein paar Kameraden noch Hilfe gebrauchen."

Thoms Kopf fühlte sich noch leer an und sein Schädel brummte. Aber kämpfen konnte er. „Dann sollten wir ihnen helfen. Der Kampf ist noch nicht entschieden."

Holderar wankte vom Fenster zurück. Sein Gesicht wirkte wie blutleer und dicke Schweißperlen funkelten auf seiner Nase. „Dann auf zum fröhlichen Schlachten."

Gadah

Über allem lag der Geruch von Blut und das Klirren des Stahls.

Das Gefecht stand auf Messers Schneide. Seine Legionäre waren gut ausgebildet. Aber die Untoten waren um ein Vielfaches zahlreicher als sie. Er befand sich nicht in der ersten Schlachtreihe, sondern stand hinter den Reihen seiner Männer und behielt den Überblick, um reagieren zu können, sofern sich etwas zu ihren Ungunsten entwickeln sollte.

Trotz des Mutes sah er, dass seine Männer an Boden verloren. Und er konnte nichts tun, außer darauf zu hoffen, dass seine Legionäre die Oberhand gewinnen würden.

Die Zwerge hielten ihre Schlachtreihen nicht mehr, sondern jeder kämpfte einzeln oder in kleinen Gruppen gegen die Untoten. Das war ihre Stärke, wusste Gadah. Aber ob dieser ungestüme Mut reichen würde, war noch nicht abzusehen. Die

Soldaten der schwarzen Legion stemmten sich mit allen Kräften entgegen.

Huneriks Centurie war am schlechtesten dran. Seine Reihen waren gestreckt und er kämpfte dagegen an, dass die Untoten in ihren Rücken gelangen konnten. Dann wäre es aus gewesen. Aber Hunerik trieb seine Männer immer wieder nach vorne, um genau das zu unterbinden.

Gadah wollte ein paar Männer der Reserve zu Huneriks Centurie schicken, als er Schreie und Getöse hinter den Untoten wahrnahm. Gadah legte eine Hand an die Stirn, um besser sehen zu können. Es war Olizu! Er hatte es geschafft. Er hatte es tatsächlich geschafft. Zielgerichtet befahl Olizu den Angriff auf Huneriks Seite und konnte somit seine Leute entlasten.

„Gut gemacht, Centurio", sagte der Blutlord leise und zog sein Schwert. „Reserve zu mir!", befahl er.

Der kommandierende Optio sprang heran. „Herr?"

„Waffen ziehen und mir folgen. Wir setzen jetzt alles auf eine Karte. Sieg oder Niedergang!"

Er konnte nichts mehr tun, jetzt galt es jede Klinge in die Schlacht zu führen.

Hinter ihm zogen einhundert Mann ihre Waffen.

„Sieg oder Niedergang!", gab der Optio vor und die Männer antworteten wie aus einer Kehle „Sieg oder Niedergang."

Gadah rannte los und hoffte, dass seine Männer ihm folgen konnten.

„Für den Blutlord!", riefen die Legionäre aus und schlossen zu ihm auf.

Zufrieden lächelte Gadah im Laufen.

Krok

Sie befanden sich inmitten der tobenden Schlacht. Hier war kein Schieben der Kampfreihen mehr, sondern ein Kampf Mann gegen Mann.

Aus dem Augenwinkel sah er, wie die Botschafterin Feuerpeitschen in der Hand hielt und damit auf die Untoten einschlug. Köpfe flogen durch Luft und es roch nach Blut und Eingeweiden.

Züleyha sicherte den Rücken der Botschafterin und unterband jeden rückwärtigen Angriff auf sie.

Soweit er sehen konnte, fügten sie dem Feind großen Schaden zu, aber der Feind ihnen ebenso. Langsam aber sicher wurden die Legionäre müder und ihre Bewegungen schwerfälliger und langsamer. Die Untoten bewegten sich genauso sicher und schnell wie zuvor. Jetzt offenbarte sich die Schwäche der Menschen.

Krok riss sein Schwert hoch und blockte damit einen Angriff auf seine Brust. Sein Metallarm beschrieb einen Bogen und riss den Kopf des Untoten von den Schultern. Er spürte das Brennen in seinen Muskeln und hätte sich gerne ausgeruht. Aber jeder Moment der Unachtsamkeit würde bedeuten, ein Schwert in die Rippen zu bekommen.

Von Norderstedt war geschickter mit der Klinge, als Krok ihm zugetraut hatte. Vielleicht hatte er den dicklichen Adeligen unterschätzt. Aber er glaubte, das würde keine Rolle mehr spielen. Langsam aber sicher kesselten die Untoten sie ein. Um ihn herum fielen mehr Legionäre als Untote verwundet oder tot zu Boden. Es war jetzt nur eine Frage der Zeit, bis sie einer nach dem anderen niedergemacht werden würden.

Ein tiefer, durchdringender Ton dröhnte über die Landschaft und lenkte ihn ab. Einige Legionäre wendeten die Köpfe, um zu sehen, was jetzt wieder auf sie zukäme.

Krok sah, wie sich auf der rechten Flanke der Schlacht Kavallerie formierte. Tiefgrüne Banner mit einer goldenen Krone flatterten im sanften Wind. An der Spitze der Reiterei erkannte Krok eine weibliche Gestalt in einer Eisenrüstung. Neben ihr ritt ein Jüngling, der ein rotes Kronenbanner hochhielt.

„Das ist die Königin", kreischte die Botschafterin verzückt, „Und sie hat ihre königliche Kavallerie mitgebracht." Wenn sie gekonnt hätte, hätte sie in die Hände geklatscht vor Vergnügen.

Ein weiterer Ton aus einem Horn erklang und die Kavallerie setzte sich in Bewegung. Fasziniert sah Krok die Reihen mit Pferden auf sich zukommen. Das Donnern unzähliger Hufe und die Kriegsschreie der Reiter erfüllte die Luft. Die Erde bebte unter ihren Füßen.

„Die Königin. Sie ist gekommen und wird uns helfen." Norderstedt stand auf einmal neben ihm.

„Ja, jetzt könnte es gut ausgehen." Krok stürzte sich wieder in den Kampf, von der unerwarteten Verstärkung neu beflügelt.

Gadah

Er sah die Reiterei und das königliche Banner und wie die Keilformation auf die Flanke der Untoten traf. Die Reihen der Feinde wurden mühelos niedergemacht. Jeder Reiter war mit einem goldenen Schimmer umgeben, der ihn vor dem magischen Abwehrzauber der Nekropole schützte.

Ein weiterer langgezogener Hornstoß auf der anderen Flanke erschallte und eine zweite Gruppe Reiterei tauchte auf. Auch sie führten das Königsbanner.

Wären ihre Feinde lebende Menschen gewesen, hätten sie jetzt die Flucht ergriffen. Aber die Nekromanten hielten ihre Stellung und wendeten sich dem neuen Feind zu. Aber es würde ihnen nichts helfen.

Die zweite Gruppe Kavallerie griff an und fuhr wie ein warmes Messer durch die Butter. Gadah hörte das Schnaufen der Pferde, das niederfahren der Speere und Schwerter, das Aufeinanderprallen der Leiber und er merkte, wie der Druck auf seine Männer nachließ. Sofort gab er den Befehl stärker vorzurücken, damit sie die Untoten zwischen den Fronten zerreiben konnten.

Das Blatt wendete sich. Nach und nach fielen die toten Krieger. Sichtbar lichteten sich die Reihen vor ihm und seine Männer rückten nach.

Er sah, wie Centurio Olizu aus dem Stadttor der Nekropole stürmte und seine Männer anführte.

Einer der Reiter, mit rotem Helmbusch, hob zum Gruß sein Schwert. Gadah erwiderte die Geste und kurz darauf war der Reiter schon wieder weg, ritt neu an und stürzte sich von Neuem ins Gefecht.

Sie würden siegen, Gadah wusste es, er spürte es!

Krok

Die Stille nach der Schlacht gefiel ihm. „Noch am Leben!", flüsterte er und sah sich um. Um sie herum lagen die Körper der Gefallenen. Die Soldaten, die durch Bisswunden der Untoten verletzt worden waren, hatte man getötet, damit der Spuk der Auferstehung ein Ende fand.

Züleyha drückte sich an ihn und ergriff seine gesunde Hand. „Es ist vorbei", flüsterte sie ihm ins Ohr.

„Und wir leben noch. Jetzt sind wir frei."

Sie erwiderte nichts, küsste ihn nur auf die Wange. Verkrustetes Blut war auf ihrer schwarzen Lederhose.

Norderstedt stand vor ihnen und steckte sein Schwert in die Scheide. Interessiert beobachtete er die ersten Aasvögel, die sich auf den Toten niederließen und begannen sich die Leckereien aus den Körpern zu picken.

„Es war ein schwerer Kampf, aber wir sind die Sieger." Norderstedt sah auf die Zwerge, die sich um ihre Verwundeten kümmerten und dabei Hilfe von den Menschen bekamen. Die Zwerge hatten schwere Verluste einstecken müssen, aber sie hatten auch schwer ausgeteilt. Jeder von ihnen konnte stolz auf sich sein.

Blut tränkte die Erde und machte sie rutschig.

Krok sah den Blutlord und die Botschafterin bei der Königin. Sie sprachen miteinander, aber er konnte nicht hören was. Sollten sie tun, was sie für richtig hielten.

Atriba winkte Norderstedt zu sich und gab ihm zu verstehen, dass die Königin mit ihm reden wollte.

„Kommt mit, ihr sollt die Königin auch kennenlernen." Norderstedt ging voraus und wartete nicht auf ihn und Züleyha.

„Komm mit", sagte Züleyha, die merkte, wie Krok zögerte. Sanft zog sie ihn mit sich.

Er klappte die Klingen an seiner Hand ein und arretierte seinen Arm. „Ich werde nicht Katzbuckeln", warnte er seine Gefährtin, „Es ist besser, wenn ich hierbleibe."

„Sei nicht albern, du wirst doch keine Angst haben vor dem Frauenzimmer."

Krok knurrte etwas und ging dann mit ihr.

„Verehrte Königin, ich begrüße dich." Von Norderstedt neigte den Kopf vor der Monarchin. Züleyha tat es ihm nach und zog Krok mit herunter.

Goldfuß gesellte sich auch zu ihnen.

„Ich danke euch. Ich danke euch allen." Würdevoll erhob die Königin ihre Stimme und verstärkte sie mit Magie, sodass sie über das ganze Schlachtfeld zu hören war.

„Ich möchte euch danken. Ihr habt heute etwas Großes vollbracht. Heute habt ihr das Land mit eurem Blut verteidigt. Jeder Einzelne von euch hat sich das Recht erkämpft, einen Eh-
rentitel zu führen. So verleihe ich jedem nach seiner Wahl ein
Stück Land, was er bestellen kann oder einen Platz in meiner
Ehrengarde. Jedem wird Amnestie gewährt."

Jubel brandete bei den Männern auf und Krok sah um sich
herum die müden, aber glücklichen Gesichter der Legionäre.

Die Königin fuhr fort: „Und damit sich die nachfolgende
Generation an eure Taten erinnert, wird vor dem königlichen
Palast ein Denkmal errichtet ..."

Krok wendete sich ab und entfernte sich möglichst unauffällig. Er war es leid große Worte zu hören. Er wollte seine
Ruhe haben.

„Du alter Stinkstiefel, es ist unhöflich, wenn man sich während der Rede von der Königin entfernt." Züleyha war ihm gefolgt und stupste ihn an.

„Du hast es doch eben gehört, jedem wird Amnestie gewährt." Krok ging ungerührt weiter.

„Du weißt, dass die Hauptstadt noch befreit werden muss,
unsere Aufgabe ist noch nicht vollbracht."

„Doch, meine Aufgabe ist beendet. Ich reite jetzt zu Norderstedt und werde Zara holen. Entweder kommst du mit o-
der lässt es. Ich werde nicht weiter kämpfen. Ich bin es leid für
andere den Kopf hinzuhalten." Er blieb stehen und sah ihr in
die Augen. „Kommst du mit oder willst du weiter kämpfen?"

„Du Ochse, natürlich komme ich mit dir." Sie stellte sich auf
die Zehenspitzen und küsste ihn. „Sollen wir uns noch von
meinem Onkel verabschieden?"

Er warf ihr einen vorwurfsvollen Blick zu.

„Ich habe verstanden." Sie küsste ihn abermals und Krok
fühlte sich wie der glücklichste Mensch auf Erden.

## Gadah

Die Königin hatte ihre Ansprache an die vereinigten Streitkräfte aus Zwergen und Menschen beendet und wandte sich
nun an ihn.

„Kriegskonsul, würdest du mir die Ehre erweisen und mich
in die eroberte Stadt begleiten?"

Gadah verbeugte sich leicht. „Es ist mir eine Ehre, Königin."
Er bot ihr keck den Arm an und sie hakte sich ein.

Norderstedt folgte mit Atriba und Goldfuß.

Die Männer bildeten eine Gasse und gingen vor ihren An-
führern in auf die Knie.

Hunerik und Olizu gesellten sich mit Luzil hinzu und folgten im angemessenen Abstand. Hunerik hustete bellend.

Gadah war so müde, dass er auf der Stelle eingeschlafen
wäre, wenn er sich hingelegt hätte. Die Königin an seiner Seite
war von zarter Gestalt, was auch die Eisenrüstung nicht ka-
schieren konnte. Trotz der vergangenen Schlacht fühlte sich
ihre Hand kühl und leicht an.

Das Pflaster der Stadt war übersät mit Körperteilen und
Blut. Die Königin schien das nicht zu stören. Würdevoll ging
sie an Gadahs Arm in die eroberte Nekropole. „Du hast gute
Arbeit geleistet, Kriegskonsul. Aber es ist noch nicht vorbei,
das weißt du."

„Ja, die Hauptstadt ist noch in der Hand der Nekromanten."

„Wir haben eine Waffe mitgebracht, die das Problem lösen
wird, ohne große Verluste", raunte die Königin.

„Was meinst du damit?"

„Du musst ein gutes Dutzend Leute auswählen, die bereit
sind, ihr Leben zu riskieren."

„Du sprichst von einem Todeskommando."

„Sehr scharfsinnig", erwiderte die Frau kalt.

Gadah seufzte. „Es werden sich Freiwillige melden dafür."

„Wir werden morgen alles weitere besprechen, jetzt ist es Zeit, unseren Sieg zu genießen."

Thom

Holderar schwankte neben ihm und Thom griff schnell zu seinen Freund und stützte ihn. „Was ist los mit dir?", wollte er wissen.

Der Zwerg winkte ab. „Nur die Anstrengung, Junge. Es geht gleich wieder."

„Erzähl mir keinen Unsinn. Ich sehe doch, dass du krank bist."

„Ich bin nicht krank, ich ..." Holderar verdrehte die Augen und brach zusammen. Schwer schlug er auf den harten Boden und blieb regungslos liegen.

„Holderar!" Thom kniete nieder. Vorsichtig nahm er dem Zwerg seinen Helm und die Kettenkapuze ab. Die Haut seines Freundes war weiß und er atmete schwer und stoßweise. Thom legte die Hand an seine Stirn. „Du hast Fieber", sagte er mehr zu sich selbst als zu Holderar. „Das sieht böse aus."

„Thom!", hörte er seinen Namen und schreckte auf. An der Seite einer gerüsteten Frau kam Gadah die breite Straße entlang. Ihnen folgten Hunerik, Luzil und ein Zwerg mit einem dicklichen Mann, die Thom nicht kannte.

Gadah winkte ihm zu und lächelte.

Gerade als Thom seinen Arm heben wollte, explodierte ein Blitz vor seinen Augen. „Hast du etwa geglaubt, du kannst mir entkommen?"

Der Todesfürst! Er war in Thoms Kopf und seine Stimme klingelte in seinem Kopf.

„Ich habe dir gesagt, du gehörst mir. Vollkommen und mit Haut und Haaren."

Ein Zittern lief durch seinen Körper und er merkte, wie die Kälte wieder Besitz von ihm ergriff und er das Gefühl über seinen Körper verlor. Angst keimte ihn ihm auf, die er nicht zurückdrängen konnte. Sein Blick wandte sich Gadah und den anderen Ankömmlingen zu. Sein Körper stand auf und ließ Holderar einfach liegen.

„Dein Freund hat meine ganzen Pläne durchkreuzt, wegen ihm muss ich mir neue Geschöpfe schaffen. Zumindest habe ich aber einen neuen guten Körper. Deinen!"

Thom fühlte sich hilflos und seine Angst steigerte sich zu einer schlimmen Panik. Würde dies sein Schicksal sein? Gefangen im eigenen Körper? Hilflos? So würde er als lebende Marionette sein Dasein fristen, ohne sein Versprechen an Khulat einzulösen.

Gadah und die Frau waren fast bei ihm. „Ich freue mich, dich zu sehen, Thom. Was ist mit Holderar?" Sorge schwang in Gadahs Stimme.

„Dein Freund ist gefährlich, aber er wird meine Pläne nicht durchkreuzen, dafür werde ich jetzt ein für alle Mal sorgen."

Thom sah, wie seine Hand zu Mindokar wanderte und die Klinge zog, dann sprang er mit vorgehaltener Klinge nach vorne ...

Gadah

Nur seine Reflexe verhinderten, dass Thom ihm den Schädel von den Schultern schlug. Er beugte den Oberkörper nach hinten und stieß die Königin von sich, damit sie außer Reichweite des schwarzen Schwertes gelangte.

Er fühlte einen scharfen Schmerz an seiner Schulter und merkte, wie etwas daran herunterlief. Blut! Thom hatte ihn verwundet.

„Was soll der Unsinn? Ich bin es. Gadah. Steck dein Schwert weg, Junge."

Thom fletschte nur die Zähne und seine Gesichtszüge verzerrten sich zu einer Grimasse des Hasses. Er schwang Mindokar und zielte auf seine Brust.

Gadah sprang zur Seite und rollte sich über die gesunde Schulter ab. Nebenbei hörte er, wie die Männer, die ihn begleiteten, ihre Schwerter zogen. Hunerik sprang mit erhobenem Kampfstock nach vorne und ging auf Thom zu.

„Nein, Zurück!" Gadah hob den Arm und hielt seine Begleiter auf. Was war nur los mit dem Jungen? Gadah kam auf die Füße und umkreiste Thom. Lenkte so seinen Blick auf sich, weg von der Königin, die neugierig das Schauspiel betrachtete.

„Was ist mit dir geschehen?" Gadahs Stimme senkte sich herab und war eindringlich.

Ein Flackern ging durch Thoms Augen, so als ob sich in seinem Inneren ein Kampf abspielte.

Thom

Das durfte nicht sein! Der Todesfürst durfte nicht siegen! Er sah, wie Gadah dem Hieb gegen seine Brust geschickt auswich, aber sein Schwert nicht zog. Glaubte er etwa, dies sei ein Spaß? Irgendwie musste es ihm gelingen seinen Meister zu warnen.

„Was ist mit dir geschehen?", hörte er Gadahs Frage und die Wut im Gesicht des Mannes, dem er so viel verdankte. Es gab nur noch eines zu tun. Er musste dafür sorgen, dass Gadah ihn tötete und der Todesfürst mit ihm starb!

Er raffte seine letzten Kräfte zusammen und stählte seinen Willen, um gegen den Todesfürsten anzukämpfen, der seinen Körper kontrollierte.

Thom machte nicht den Fehler, gegen die Kontrolle des Geistes anzukämpfen, sondern konzentrierte sich nur auf eines, nur eines ...

Gadah

„Ich...bin...gefangen...im...eigenen...Körper...“
Er hörte, verstand aber nicht, was Thom ihm sagen wollte. Gadah musste einem geschickten Hieb gegen seine Beine ausweichen, indem er über die Klinge sprang.

Gefangen im eigenen Körper? „Was soll das heißen? Bist du wahnsinnig?“

„Ich...bin...der...Todesfürst! Töte...mich!“, presste Thom heraus, dann war das Flackern aus seinen Augen verschwunden und ein Lachen erklang aus Thoms Mund. „Dein Freund ist nicht mehr, er gehört mir.“

Die Erkenntnis traf Gadah wie einen Hammerschlag. Vor ihm stand der Todesfürst!

„Rochard, zieh deine Klinge, oder wir machen den Jungen nieder!“ Hunerik schrie ihn an und wollte ihn zum Handeln bewegen. Und er hatte recht. Thom war zu gut mit dem Schwert, als dass er seinen Hieben nur ausweichen konnte.

Gefangen im eigenen Körper. Er gehörte dem Todesfürsten. Wut auf den unbekannten Widersacher stieg in ihm auf und sein Puls beschleunigte sich. „Niemand rührt ihn an. Ihr schützt die Königin!“, gab Gadah zurück und konnte wieder nur knapp einem Stich ausweichen, der ihn aufgespießt hätte wie eine Ratte. Er nutzte die Bewegung und drehte sich um die eigene Achse. Flüssig zog er seine Klinge aus der Scheide und stand hinter Thom, der herumwirbelte, um einen Angriff aus seinen Rücken abzuwehren. Klirrend prallten die Klingen aufeinander und Funken stoben auf.

Gadah Schulter schmerzte, würde ihn aber in diesem Kampf nicht behindern. Mit zusammengebissenen Zähnen kämpfte er den Schmerz nieder und wartete auf den nächsten Angriff, der prompt erfolgte.

Mit einer Finte auf seinen Kopf sollte er getäuscht werden, nur um im nächsten Moment die Spitze Mindokars auf seine Halsbeuge niedersausen zu sehen.

Mit beiden Händen am Griff seiner Klinge wehrte er die Attacke ab und sein Ellenbogen zuckte hervor. Er traf Thom unter dem linken Auge und hinterließ eine tiefe Platzwunde, aus der sogleich Blut sickerte und über das Gesicht seines ehemaligen Schülers lief.

Wortlos brachte Thom sein schwarzes Schwert zwischen sie und zog Gadah die Klinge über den Rücken. Sein Kettenhemd sorgte dafür, dass seine Haut unverletzt blieb, aber schmerzhaft war der Schlag allemal.

Es entspann sich ein Schwertkampf, bei dem sich die Kontrahenten nichts schenkten. Thom war jünger und einen Wimpernschlag schneller, Gadah um einiges erfahrener und er konnte die Angriffe des Jüngeren erahnen. Er hatte sie ihm schließlich beigebracht. Keuchen und Zähneknirschen begleitete jeden Hieb. Die Klingen zuckten und stießen durch die Luft, schwere Hiebe wurden geführt, aber keiner der beiden konnte einen entscheidenden Vorteil erringen.

Gadah blutete schließlich aus mehreren kleineren Wunden an Armen und Beinen. Wenn auch nicht direkt lebensbedrohlich, würde ihn der Blutverlust schwächen und langsamer machen. Dann hätte Thom leichtes Spiel mit ihm. Er merkte auch, wie er schwerer und hektischer atmete als sein Gegner. Es war nur eine Frage der Zeit, bis er zu langsam werden würde und die schwarze Klinge entscheidend und tödlich in sein Fleisch dringen würde.

Er hatte alles um sich herum vollkommen ausgeblendet, seine Kameraden, die Königin und die Nekropole, in deren Straße er sich hier mit dem Schüler duellierte, der für ihn wie ein Sohn war. Er ist es nicht mehr, er sieht aus wie Thom und bewegt sich wie Thom, aber es ist der größte Feind dieses Landes. Er ist in diesem Augenblick dein Todfeind, dachte Gadah und er begriff, dass er im bisherigen Gefecht nicht den Willen aufbringen konnte, sein Gegenüber zu töten. So würde er diesen Kampf unweigerlich verlieren. Er schnaufte tief durch und versuchte Luft zu schöpfen, während er in das Antlitz desjenigen schaute, der ihm nach Milana am meisten auf der Welt bedeutete. Keine Regung war dort zu lesen, keine Emotionen, kein Bedauern. „Er ist es nicht mehr, Thom ist tot", murmelte er müde. Er senkte sein Schwert etwas um den nächsten Angriff auf seine Brust zu lenken.

Thom fiel darauf herein. Es war sein erster Fehler in diesem Kampf. Kaum, dass Gadah seine Deckung etwas herunternahm, flog Mindokar heran und war nur noch eine Handbreit von seinem Herzen entfernt, als er zur Seite glitt und die Spitze über sein Kettenhemd schrammte. Gadah stöhnte auf, als die Spitze in seinen Oberarm fuhr und eine tiefe Fleischwunde verursachte. Er nutzte den Schwung des Angriffes und glitt einen Schritt auf Thom zu. Jetzt war Mindokar zwischen seinem Arm und seinem Körper eingeklemmt. Beide standen sich Nase an Nase gegenüber. Kurzerhand stieß er seine Stirn auf Thoms Gesicht. Einmal, zweimal, dreimal. Er fühlte, wie Thoms Körper erschlaffte. Gadah ließ sein Schwert fallen und seine Faust schnellte hervor, traf zielgenau auf Thoms Kehlkopf, der unter dem Schlag zerquetscht wurde.

Mindokar fiel zu Boden und Thoms Augen wurden groß als er nach Luft rang.

„Tut mir leid, Junge." Er umfasste den Sterbenden und legte ihn sanft auf das Pflaster. Gadah rang mir den Tränen, als er sehen musste, wie sein Junge blau anlief. Thom begann mit den Beinen zu zucken. Zärtlich streichelte Gadah ihm über die Stirn.

Ein letztes Zittern lief durch Thoms Körper und seine Blase entleerte sich, dann bewegte er sich nicht mehr. Sein Körper war erschlafft und seine Seele auf dem Weg ins Reich der Toten.

Jetzt konnte Gadah seine Tränen nicht mehr zurückhalten. Er nahm seine Umwelt wieder wahr und hörte die Jubelschreie der Legionäre vor der Nekropole. Ihm war es egal. Schwindel bemächtigte sich seiner. Der Blutverlust, ging es ihm durch den Kopf. Dass er neben Thom umkippte, merkte er nicht mehr.

Hunerik

Die Gruppe von Legionären stand mit einem Wagen in einigem Abstand von der Hauptstadt entfernt. Die Männer ruhten sich aus, denn sie hatten einen harten Ritt hinter sich und sowohl Mensch als auch Tier war erschöpft.

Der Schänder war der Anführer der kleinen Truppe aus Freiwilligen.

Die Königin und ihre Truppen hatten die Pulver mitgebracht, die ihre Probleme lösen würden, ohne noch einen großen Kampf führen zu müssen.

„Wenn ihr innerhalb der Stadtmauern seid, kippt die beiden Pulver zusammen und macht darauf gefasst eurem Gott gegenüber zu treten", hatte die Königin gesagt.

Hunerik stand immer noch unter den Eindrücken des Kampfes zwischen Gadah und Thom. Noch nie hatte er so etwas zu sehen bekommen. Nach dem dramatischen Ausgang waren er und Luzil vorgestürmt, um sich um den verletzten Gadah zu kümmern. Er hatte viel Blut verloren und war geschwächt. Aber er lebte. Als sie weggeritten waren, war er noch ohnmächtig gewesen und Hunerik hatte sich nicht von ihm verabschieden können. Aber es war auch gut so. Kein rührseliger Abschied, keine Umarmungen, keine Zweifel.

Der Schänder ging zu Holderar und setzte sich neben ihn auf den Boden. „Wie fühlst du dich?"

Der Zwerg litt unter Schüttelfrost und hohem Fieber. Sein Gesicht war ausgemergelt. Nur die sanfte Heilungsmagie von Norderstedt hatte verhindern können, dass er bereits in der Nekropole gestorben war. So war das Wirken des Spinnengiftes verlangsamt worden und die inneren Blutungen hatten für eine Zeitlang ausgesetzt. „Mir ging es nie besser", entgegnete Holderar müde und trank einen großen Schluck Zwergenbrand.

Hunerik sah, dass er höchstens noch ein oder zwei Tage durchhalten würde, bis ihn das Gift fertig gemacht hätte. Er hustete rasselnd und spie einen Blutklumpen in die Büsche. Verfluchte Krankheit. Wenigstens würde er nicht vor sich hinsiechend im Bett sterben, sondern in seinen Stiefeln.

Holderar bat ihm die Flasche an und Hunerik nahm sie für einen kleinen Schluck. Er wollte bei klarem Verstand bleiben.

Der Zwerg dämmerte in einen leichten Schlaf und so stellte er die Flasche neben ihn und stand auf.

Es waren schon einige Angriffe auf das Stadttor geführt worden, was aufgesprengt in den Angeln hing und kein Hindernis darstellen würde. Der Baumeister der Belagerungsmaschinen kam zu ihm und salutierte vor Hunerik. „Herr, meine Männer und ich würden jetzt aufbrechen."

Hunerik nickte knapp. „Tut das. Ihr habt eure Arbeit erledigt und uns einen freien Weg verschafft. Lebt wohl."

„Danke Herr." Der Centurio entfernte sich und bestieg mit seinen Männern die Pferde um abzureiten und aus der Gefahrenzone zu kommen.

„Kurzer, aufwachen, es geht los."

Holderar schlug die Augen auf. „Ich bin bereit. Komm, hilf einem alten Zwerg mal auf die Beine." Er streckte die Hand aus und der Schänder zog ihn hoch.

Als sie nebeneinanderstanden, nahm der Zwerg seine Flasche und trank nochmal. „Hättest du gerne noch etwas erledigt?"

Der Mensch schüttelte den Kopf, hielt dann aber inne. „Na ja, vielleicht eines noch."

„Was denn?"

„Ich hätte gerne noch einmal einen hübschen Hintern gesehen."

„Vergiss es!"

„Keine Angst, dein Arsch ist mir zu haarig."

„Du reitest trotzdem vor mir." Holderar nahm noch einen Schluck und warf die Flasche dann weg. „Lass es uns hinter uns bringen."

„Aufsitzen!", rief Hunerik und schreckte die Legionäre auf.

Er wandte sich an einen jungen Optio, dessen Namen er vergessen hatte, der sich aber gut geschlagen hatte während der Schlacht um die Nekropole.

„Du weißt, was du zu tun hast?"

„Ja, Herr", erwiderte der junge Mann eifrig.


Hunerik und Holderar nahmen auf dem Wagen Platz. Der Zwerg hinten auf der Ladefläche, wo die Säcke mit dem Pulver lagen. Seine Axt lag neben ihm.

„Dann los! Hüa!", trieb er die Pferde an und schnalzte mit der Zunge. Rappelnd setzte sich der Wagen in Bewegung, die Legionäre eskortierten rechts und links des Wagens.

Während sie sich der Hauptstadt näherten, sahen sie die Untoten auf den Mauern und am Eingang. Sie wurden erwartet.

„Unser Empfangskomitee", scherzte Holderar.

Ungefähr zweihundert Schritt vor dem offenen Tor gab Hunerik dem Optio ein Zeichen und nahm die Peitsche in die Hand, um die Pferde anzutreiben. „Festhalten, mein kleiner Freund." Knallend fuhr die Peitsche über die Köpfe der Tiere und trieb sie an.

Die Legionäre trieben ihre Pferde auch an und setzten sich vor den Wagen.

„Angriff!", befahl der Optio langgezogen und schwenkte sein Schwert.

Rumpelnd fuhr der Wagen hinter den Reitern her. Der Plan war denkbar einfach. Die Legionäre sollten den Weg für den Wagen freimachen und dann, wenn er in der Stadt wäre, so schnell wie möglich das Weite suchen.

Die Untoten stürmten nach vorne und Hunerik erkannte Frauengestalten und gerüstete Gestalten.

Die Reiter machten sie mühelos nieder. Ohne sich auf einzelne Kämpfe einzulassen, preschten sie durch die Menge und ließen ihre Schwerter wie Sensen durch das tote Fleisch ihrer Gegner fahren.

Hunerik merkte, wie die Räder des Wagens über ihre Körper rollten, störte sich aber nicht daran.

Dann waren sie durch das Tor und befanden sich innerhalb der Mauern. Er trieb seine Pferde nochmal an und rief dem Optio zu: „Jetzt zurück mit euch, seht zu, dass ihr wegkommt."

Der junge Mann zügelte sein Tier und wendete es. Seine Männer taten es ihm nach. „Viel Glück!", rief er dem ratternden Wagen hinterher.

Jetzt waren sie alleine und trieben die schnaufenden Pferde durch die Menge an Untoten, die unter die Hufe der Tiere gerieten.

„Wie weit willst du fahren?", schrie Hunerik über den Lärm hinweg.

„Ich will den Männern noch die Chance geben zu flüchten."

Kaum, dass er es gesagt hatte, stolperte ein Pferd und stürzte wiehernd zu Boden.

„Scheiße", fluchte der Schänder, als der Wagen umstürzte und sie im hohen Bogen durch die Luft flogen.

Hart landete er auf dem Pflaster, mitten unter die Untoten. Sein Glück war ihm hold, denn sein Kampfstab war neben ihm gelandet.

Bevor der erste Untote bei ihm war, war er mit dem Stab aufgesprungen und in die erste verweste Fratze einer Frau geschlagen, deren Kopf eingedrückt wurde. Den Stab kreiste in seiner Hand und verschaffte ihm etwas Freiraum, als er die näher kommenden Untoten erwischte und zu Boden schlug. „Holderar, lebst du noch?"

„Mit dir werde ich keine Kutschfahrt mehr unternehmen", rief der Zwerg.

„Ist das Pulver bei dir?"

„Ja, beide Säcke. Ich werde sie jetzt mischen."

„Wo bist du denn?" Hunerik schlug einem gerüsteten Untoten die Beine weg, der knurrend zu Boden ging.

„Unter dem Wagen und ich vergnüge mich grade mit einer netten Zwergin."

Hunerik merkte einen Hieb in den Rücken und stöhnte auf. Warm lief Blut über seinen Rücken.

Holderar hustete und krabbelte unter dem Wagen hervor. „Die Pulver sind zusammen und fangen an zu brodeln." Er nahm seine Kraft zusammen und sprang hoch, die Axt lag in seinen Händen.

„Dann lass uns noch ein paar dieser Gestalten die Schädel spalten."

Der Zwerg sah, dass Hunerik blutete und vier Untote zu seinen Füßen lagen. Er sprang dem Menschen bei und schwang seine Axt in weitem Bogen.

Nebel begann von den gemischten Pulvern aufzusteigen und es roch durchdringend nach einem undefinierbaren stechenden Geruch.

„Es geht los!"

Holderar schlug grade einen Schädel entzwei und Knochen mit Hirnmasse flog durch die Luft.

Der Nebel verdichtete sich und ein Vibrieren breitete sich aus.

„Es funktioniert! Schänder, es war mir eine Ehre."

„Ebenso, mein kleiner haariger Freund. Möge dich dein Gott gut aufnehmen."

Sie blieben auf den Beinen. Bis die Explosion alles um sich herum wegfegte.

Das Letzte, was Hunerik wahrnehmen konnte, war das Brennen auf der Haut und Holderars Kampfruf „Für die Rotte und die Königin." Dann umschloss ihn das große gelbe Licht und verzehrte ihn.

Krok

„Stell dich nicht so an und zieh deinen Bauch etwas ein. Das Essen im Palast scheint dir gut zu schmecken", meckerte Züleyha ihn an und schnürte sich einen Dolch um den Oberschenkel.

Krok hakte seinen Arm ein und betrachtete sich in dem Kristallspielgel. „Das Hemd trägt nur etwas auf."

Zara lag in ihrer Wiege. Gleich würde die Amme kommen um auf das Kind aufzupassen.

„Wir werden nicht von ihm loskommen, oder?" Krok schnipste sich Flusen von der Hose und prüfte den Sitz seines Kurzschwertes.

„Wir haben ein gutes Leben und müssen uns nicht mit Ernten, Kartoffelkäfern und Ackerbau herumschlagen."

„Ich fasse es nicht. Wir werden die Leibwächter des Königs."

„König Norderstedt von Dharan." Züleyha baute sich vor ihm auf und stemmte die Arme in die Hüfte. „Und du hast dann die königliche Nichte zur Frau."

„Hauptsache du fängst nicht an, mich noch mehr herumzukommandieren." Er zog sie heran und küsste sie.

Es klopfte an der Türe.

„Herein", sagten beide gleichzeitig.

Marak kam herein. „Ich dachte mir, ich gebe der Amme die Gelegenheit bei der Krönung Norderstedts beizuwohnen. Ich mag solche Ansammlungen nicht und kann so lange auf die Kleine aufpassen." Er hatte einen Stapel Bücher unter dem Arm und ging zur Wiege des Kindes.

„Lies ihr aber nicht schon dein gelehrtes Zeug vor, sonst hat sie genauso wirre Gedanken wie du." Krok klopfte ihm auf die Schulter. „Danke, Marak. Wir werden dir etwas vom Buffet mitbringen."

„Ja, ist gut." Marak hatte schon sein erstes Buch aufgeschlagen und zu lesen begonnen.

Züleyha zupfte Krok am Ärmel und sie gingen leise hinaus.

Sie gingen durch die Gänge und Züleyha erklärte ihm noch einmal, wann er sich zu verbeugen hatte. Auch wann er zu schweigen hätte, erklärte sie ihm.

„Keine Angst, ich fange keinen Streit an und halte den Mund", sagte Krok abschließend, als sie den Thronsaal betraten.

Sie waren am Hof der ehemaligen Königin, jetzt Kaiserin des vereinigten Reiches und würden jetzt der Krönung von Norderstedt beiwohnen, der ihr Stellvertreter werden würde.

Atriba Feuersturm stand neben dem Thron der Kaiserin und nickte ihnen zu.

Goldfuß saß mit seinen Clanführern als Ehrengast in der ersten Reihe des Kronsaals.

Norderstedt saß neben der Königin und war in einen rotgoldenen Brokat gehüllt.

Sie drängten sich sanft durch die Menge, vorbei am neuen Kriegskonsul Luzil und platzierten sich hinter Norderstedts Sitz.

Züleyha lächelte Isela, Luzils Braut zu, wurde aber direkt wieder ernst. Die beiden Frauen hatten sich in den vergangenen Wochen am Hof angefreundet und verbrachten viel Zeit in den Gärten der Kaiserin.

Die Kaiserin erhob sich und faltete würdevoll die Hände. „Verehrte Anwesende, wir können mit der Krönungszeremonie beginnen."

Gadah

Sie hatten Thoms Leiche am Morgen nach dem Kampf verbrannt. Alle waren der Meinung gewesen, dass er der Zeremonie beiwohnen sollte und so hatten sie ihn links und rechts gestützt. Mit Tränen in den Augen hatte er ins Feuer gestarrt und das verbrannte Fleisch Thoms gerochen. Danach war er wieder ins Lazarett gebracht worden und hatte drei Wochen gebraucht kräftig genug zu werden, um wieder auf eigenen Beinen zu stehen.

Es war ein schöner Morgen und er brach mit seinen Lieben in ein neues Leben auf.

Sein Pferd war am Wagen angebunden und Raenal durfte auf ihm reiten.

„Es wird ein schönes Stück Arbeit werden, dieses Land wieder aufzubauen." Milana strich sich durch die weißen Haare und sah Gadah von der Seite an.

„Das wird es, aber ohne mich. Die Erde hier hat genug von meinem Blut aufgesogen. Ich kümmere mich nur um das Stück Land, was mir von der Königin zugesprochen wurde. Zusammen mit dir und dem Jungen."

„Du wirst es vergessen. Ich werde dir dabei helfen."

Gadahs Falten schienen ein wenig tiefer geworden zu sein und seine Haare etwas grauer. Ja, sie hatten gesiegt, aber der Preis war hoch gewesen. Er schüttelte den Kopf. „Nein, vergessen werde ich es niemals, aber mit deiner Hilfe werde vielleicht darüber hinwegkommen."

„Ich werde mein Bestes tun, Geliebter." Sie schob ihren Arm unter seinen und kuschelte sich an ihn.

„Gut festhalten", rief Gadah Raenal zu und trieb die beiden Pferde vor dem Wagen an.

Epilog

Er fiel und fiel und fiel. Fiel einem weißen Licht entgegen, welches unendlich weit weg schien, ihn aber unermüdlich zu sich zerrte. Innerlich fühlte sich Thom frei und losgelöst von allen Sorgen und negativen Gefühlen. Sein Geist war befreit von den weltlichen Dingen.

Das weiße Licht hüllte ihn ein und sorgte für die wunderbare Leichtigkeit, die er bereits schon einmal erleben durfte. Auch die Präsenz des Todesfürsten war verschwunden. Er war wieder alleine und auf dem Weg ins Seelenreich. Eine angenehme Wärme bemächtigte sich seiner und verdrängte alles was ihn belastete.

Als sich sein Blick wieder klärte, stand er auf der Wiese vor seinem Elternhaus. Meradon erwartete ihn.

„Sei gegrüßt, Sohn."

„Vater..." Thoms Stimme versagte und sofort wurde das negative Gefühl von der Magie des Seelenreiches gedämpft.

„Ich habe versagt. Ich konnte mein Versprechen an Khulat nicht einlösen."

„Dummer Junge, wer sagt denn so etwas?"

Er wusste nicht, was er sagen sollte.

„Um dir die Angst zu nehmen, der Todesfürst ist keine Gefahr mehr. Khulat hat seine Seele verbrannt, sobald sie hier mit dir ankam. Dadurch, dass er sich mit deiner verbunden hatte, ist er mit dir hierher zurückgekehrt und von dem Gott empfangen worden."

„Dann habe ich nicht versagt?"

„Nein Junge, du hast alles getan, was notwendig war. Khulat lässt dir danken."

„Diesmal werde ich nicht zurückkehren können, oder?"

Meradon schüttelte den Kopf. „Nein, diesmal nicht. Du bleibst im Seelenreich, bei deiner Familie."

Ein Aufschrei störte sie und Thom sah, dass Lydia in der Türe ihres Hauses stand.

„Wir haben alle Zeit. Geh zu deiner Familie, ich werde später dazukommen."

Thom blinzelte und Meradon entschwand seinem Blick.

Juchzend kam Lydia auf nackten Füßen auf ihn zugelaufen. Ihre roten Locken hüpften vergnügt auf und ab und das Sonnenlicht sorgte für einen Schimmer um ihren Kopf.

Thom rannte ihr ein Stück entgegen und schloss sie in die Arme. „Du bist wieder da", freute sie sich.

„Ja, und diesmal bleibe ich. Bis in alle Ewigkeit. Nichts wird uns jemals wieder trennen."

„Ist das wahr?"

Thom nickte und nahm ihren Kopf in beide Hände. „Ich liebe dich!" Er küsste sie lange und schmiegte sich an ihren Körper.

„Dann lass uns nach Hause gehen." Sie ergriff seine Hand und zusammen gingen sie auf sein Elternhaus. Mutter, Vater und Mifal standen auf der kleinen Veranda und lächelten ihn an.

„Willkommen zu Hause, mein Sohn", sagte Vater.

„Ich habe schon das Essen hergerichtet, du musst hungrig sein nach der langen Reise." Seine Mutter drückte ihm einen Schmatzer auf die Wange.

„Und später gehen wir zum Teich und schwimmen eine Runde." Mifal strahlte ihn an und boxte ihn auf die Schulter. „Deine Frau ist übrigens eine gute Kartenspielerin."

Thom lachte und sie gingen ins Haus hinein. Thom folgte als Letzter seiner Familie und zog die Haustür zu.

Er war zu Hause, endlich zu Hause.

ENDE

## Nachwort

Der Weg dieser Trilogie war eine aufregende und lehrreiche Reise für mich, die ich verflucht und genossen habe.
Am Ende dieser Reise möchte ich die Gelegenheit nutzen, mich bei allen zu bedanken, die an ihr beteiligt waren.

Ein besonderes Dankeschön geht hierbei an meine TestleserInnen und MutmacherInnen Dijana, Birte, Kathi, Sascha und Michael.

Es wird weitergehen mit den Zauberjägern.
Zum jetzigen Zeitpunkt plane ich eine zweite Trilogie, die die Geschichte fortführen wird.

Ich hoffe, dass Sie Freude an meinem Werk hatten und mir weiter die Treue halten werden. Ich habe das Gefühl, das dieses Werk der Beginn meiner Reise werden wird.

Und zum Ende möchte ich mich mit meinem Lieblingsschlachtruf verabschieden:

**Für die Rotte und die Königin.**